EL PRADO

EL PRADO

JOSÉ ANTONIO DE URBINA *Director de la edicíon*

ALFONSO E. PÉREZ SÁNCHEZ *Director*

MANUELA MENA MARQUÉS *Sub Director*

MATÍAS DÍAZ PADRÓN

JUAN JOSÉ LUNA

JOAQUÍN DE LA PUENTE

SCALA

Los editores quieren hacer constar su gratitud
al Sr. Edmund Peel de Sotheby's de Madrid.
Podría decirse que el libro debe su existencia a
sus incansables esfuerzos sobre todo al principio
del proyecto, y es muy posible que sin su
participación no se hubiera llegado a realizar.
Asimismo, también quieren reconocer la ayuda
tan valiosa de los Amigos del Prado por su
colaboración en esta edición.

Scala Publishers Ltd © 1988 © 1993

Edición revisada 1993
Segunda impresión 1994
Reimpressión 1999

Editado por vez primera en 1988 por
Scala Publishers Ltd
143-149 Great Portland Street
London WIN 5FB

ISBN 1 870248 46 5

Fotografías: Gonzalo de la Serna
Versión española revisada y adaptada
por John Carlos Read y Lucía Tojo Rivadulla
Diseño: Alan Bartram
Realizado por Scala Publishers
Composicíon: August Filmsetting, England
Impreso en España por Fournier A. Graficas S.A.

ÍNDICE DE MATERIAS

CRONOLOGÍA DE LOS ACONTECIMIENTOS PRINCIPALES EN LA HISTORIA DE LA CONSTRUCCIÓN DEL PRADO Y LA CREACIÓN DEL MUSEO

1785 Carlos III comisiona al arquitecto Juan de Villanueva para formular los primeros planes para el Museo de Historia Natural.

1809 José Bonaparte promulga un decreto real con el fin de fundar un Museo de Pinturas.

1810 José Bonaparte promulga un decreto real que establece una galería en el palacio de Buenavista – originalmente propiedad de la duquesa de Alba y más tarde de Godoy, presidente del Consejo de Carlos IV.

1811 La muerte de Juan de Villanueva; la construcción del Prado está casi completa.

1814 Fernando VII, siguiendo las sugestiones de la reina María Isabel de Braganza e Isidoro Montenegro, decide montar una galería en el edificio vacío que se encuentra en el Paseo del Prado.

1819 Apertura oficial del Museo Real por Fernando VII.

1819–29 La mayor parte de la colección real se transfiere al Prado.

1829 El duque de San Fernando efectúa el primer donatívo: *Cristo crucificado*, por Velázquez.

1835 Mendizábal hace votar las leyes desamortizadoras de los bienes de las comunidades religiosas; se sacan muchos cuadros de iglesias y monasterios para trasladarse al convento de la Trinidad, que se convierte en galería provisional.

1838 Debido a la amenaza de guerra civil, se trasladan cuadros en gran número de El Escorial al Prado.

1843 Se registran 1949 obras en el Catálogo del Prado.

1868 El Museo Real queda nacionalizado, despés del destronamiento de Isabel II.

1870 La colección entera del Museo de la Trinidad y los cartones para tapices que realizó Goya, guardados en el Palacio Real de Madrid, se trasladan al Prado.

1881 Donación de las 'pinturas negras' de Goya, por el Baron d'Erlanger.

1883–89 Se amplía el edificio y se abren salas nuevas.

1889 Donación de más de 200 cuadros por la duquesa de Pastrana.

1898 La inauguración del Museo de Arte Moderno.

1912 Se establece el patronato del Museo.

1914–30 Se extiende el edificio con salas adicionales.

1915 El legado de Don Pablo Bosch aporta una serie de pinturas importantes.

1930 El legado de Don Pedro Fernández Durán aporta otro conjunto de cuadros significativos.

1936–39 Pablo Picasso ejerce el cargo de Director del Prado. Durante la Guerra Civil se sacan las obras principales, y, con la ayuda de un Consejo Internacional convocado para proteger los tesoros artísticos de España, se transfieren a Francia desde Valencia.

1939 Exposición en el Museo de Arte e Historia de Ginebra de una selección de pinturas procedentes del Prado; los lienzos que se habían enviado a Francia regresan a España.

1940 Donativo de un grupo de pinturas por Don Francisco Cambó.

1955–56 Se vuelve a ampliar el edificio con salas adicionales.

1980 Se instituye la Fundación de los Amigos del Prado.

La Colección Española

Velázquez, *Las Meninas* (detalle)

Introducción

El Prado debe su existencia a la afición artística de la monarquía española; y en efecto es la colección real que constituye el corazón del Museo, mientras que la colección
española representa su espíritu. He aquí la explicación de la
presencia de tantos artistas vinculados a la corte: pintores
de cámara y retratistas oficiales desde Sánchez Coello, con
Felipe II, hasta Goya con Carlos IV. Es más, la corte
adquirió muchas obras de artistas que estuviesen de moda,
aunque trabajasen lejos de Madrid. Así ocurrió con la reina
Isabel de Farnesio, quien hizo buscar las obras de Murillo
en Sevilla en 1729, y consiguió cuatro de sus cuadros. No
obstante, las escuelas regionales y la pintura medieval, de
carácter piadoso, o no figuraban en las colecciones reales o
se representaban fragmentariamente, por ser ajenas a la
corte.

Al incorporarse el Museo de la Trinidad al Museo Real,
en 1872, el Prado se enriqueció con muchas obras religiosas de la escuela madrileña y toledana, aportándose
también algunos 'primitivos' muy valiosos. Sin embargo,
las lagunas continuaban y sólo en fecha muy reciente se
han ido colmando. No fue hasta 1946 que se instalaron
algunas obras románicas en el Prado, aunque el arte románico ocupara ya lugar de honor en el Museo de Barcelona
desde 1926. En los últimos años se han adquirido primitivos aragoneses, catalanes y valencianos. De modo
semejante, gracias a las adquisiciones y donaciones de los
últimos treinta años, se han añadido los ejemplares más
sobresalientes de las escuelas barrocas valenciana, cordo-
besa, granadina e incluso sevillana, aparte Murillo.

Desde los Primitivos hasta El Greco

Los frescos de San Baudilio de Berlanga y Santa Cruz de Maderuelo, las obras más antiguas del Prado, sirven como ejemplos excelentes de la severa ordenación figurativa del románico español, cargado de alusiones bizantinas y orientales, con su inclinación casi abstracta a las tonalidades sencillas y la repetición lineal. A éstos, se añadieron recientemente algunos cuadros, principalmente tablas de altar, que demuestran el paso, en el siglo XIII, hacia una forma de narración pictórica más emotiva: notablemente un frontal que representa a San Esteban y un retablo que retrata a San Cristóbal. Exhiben un tono ya gótico aunque se expresan con las formas y los contornos sencillos del estilo románico. El mundo gótico se ve representado en el Prado por varios retablos sobresalientes del estilo internacional, los cuales funden motivos sieneses y franceses, en un delicioso despliegue de formas caligráficas, actitudes elegantes y detalles vivaces, que transponen la atmósfera del romance caballeresco a la narración religiosa. Obras tales como las tablas catalanas de los hermanos Serra y el gran retablo de Nicolás Francés datan de este periodo de elegancia tan exquisita.

A partir de la segunda mitad del siglo XV, la influencia del realismo flamenco, que origina con los Van Eyck, tiene gran impacto sobre la pintura española y contribuye a la formación de los primeros artistas españoles de proyección universal. La implacable objetividad de pintores tales como Jan van Eyck y Robert Campin cobra en las obras de algunos artistas españoles un espíritu poético, casi expresionista. No obstante, su vigor y aspereza, junto con su prodigalidad oriental de dorados, los une de manera innegable con los maestros primitivos. El Prado posee algunas obras capitales anónimas, así como obras importantes de dos de los más grandes maestros de ese periodo: del castellano Fernando Gallego y del cordobés Bartolomé Bermejo, que trabajó en Aragón.

Pedro Berruguete, que también debe mucho a la influencia flamenca que por entonces predominaba en Castilla, ocupa un lugar aparte. Su viaje a Italia apenas comenzado el Renacimiento, le introdujo a las obras de Piero della Francesca y Melozzo da Forlì, despertó en él una nueva conciencia de espacio y ritmo, y le hizo adoptar los detalles decorativos del lenguaje de motivos clásicos que abrieron paso al Renacimiento en Castilla. En otras partes de España hubo una evolución paralela, tal vez acelerada por la presencia de artistas italianos. Así, en Valencia, el anónimo Maestro del Caballero de Montesa, que era seguramente el italiano Paolo de San Leocadio, marca un paso más en la conquista del nuevo estilo plástico.

En Valencia, durante los primeros años del siglo XVI, y coincidiendo con esta tentativa incorporación de elementos nuevos, hallamos las obras de Fernando Yáñez de la Almedina – en que surge un eco vivísimo del arte de Leonardo da Vinci, matizado con una riqueza de color típicamente veneciana. El Prado posee, entre otras obras de Yáñez, la exquisita *Santa Catalina*. Sin embargo, el siglo que empezó de modo tan prometedor no produjo luego nada equiparable y queda como uno de los periodos menos personales en toda la historia de la pintura española. En realidad, falta en el Prado casi por entero la pintura andaluza, que tenía, sobre todo en la segunda mitad del siglo, estrechas afinidades con el mundo italiano. No obstante, dicho periodo queda representado por Pedro Machuca, que estudió en Italia y asimiló muchas de las sutilezas del manierismo. Más o menos contemporáneos son los valencianos Vicente Masip y su hijo Juan de Juanes, cuyas obras trajeron un eco de las formas florentinas y romanas del alto

Renacimiento – de carácter lúcido y puro en el padre, y
dulcificado en el hijo.

Durante la misma época el extremeño Luis de Morales
formó su propio estilo personal, con elementos flamencos y
leonardescos; mientras que en la corte de Felipe II, la visita
del pintor holandés Anthonis Mor van Dashorst (conocido
como Antonio Moro) resultó en la creación de la escuela de
los retratistas oficiales de la cual Sánchez Coello fue el más
distinguido. Los retratos realizados por este artista combinan un estilo de sólida objetividad con una sobria elegancia en las poses de sus sujetos, y también reflejan cierta
influencia veneciana. Dejaron un considerable legado esti-
lístico a sus sucesores, notablemente Bartolomé González,
que duraría casi hasta los tiempos de Velázquez.

Al mismo tiempo, también trabajaba El Greco, aunque
algo aislado de la corte, en Toledo. Había llegado a España
en 1577, atraído tal vez por las posibilidades de trabajo que
ofrecía la decoración de El Escorial. Su intento escurialense
fracasó, aunque allí quedase el extraordinario *Martirio de
San Mauricio*, encargado por Felipe II, pagado con gene-
rosidad, pero posteriormente descartado. El Greco, en el
clima intelectual, aspasionado y algo pesimista de Toledo,
creó un mundo pictórico personalísimo, de una intensidad
manerista sin igual, que le convierte en uno de los artistas
más originales de su país adoptivo. La colección real con-
tenía muy pocos retratos de su mano, que sabemos eran
muy estimados por Velázquez. Al transferirse las obras del
Museo de la Trinidad al Prado, se añadieron a la colección
varias composiciones religiosas de El Greco; y desde entonces adquisiciones y donativos posteriores han hecho del
Prado un lugar donde se puede estudiar la estética del gran
cretense en todos sus aspectos.

1

2

1
**Maestro anónimo, conocido como el
Maestro de Berlanga
Trabaja en Soria a principios del siglo XII**
Un cazador
Fresco transportado a lienzo,
290 × 134 cm
Procedente de la ermita de San Baudelio
de Berlanga; depósito temporal indefinido
del Metripolitan Museum of Art de Nueva
York
Entró en el Prado en 1957; sin No. de
Catálogo

2
**Maestro anónimo de la escuela castellana
Trabaja en Castilla durante el siglo XIV**
Retablo, que muestra *San Cristóbal y el
Niño Jesús, La Deposición*, y *Escenas de las
vidas de los santos*
Tabla, 270 × 149 cm
Donada en 1969 por Don José Luis Várez
Fisa; No. de Catálogo 3150

Maestro anónimo, conocido como el Maestro del arzobispo Don Sancho Rojas
Trabaja en Castilla durante el primer cuarto del siglo XV
Tabla, 150 × 82 cm de un retablo, que representa a *La Virgen y el Niño con ángeles, santos dominicanos y dos donantes*

Procedente de la iglesia de San Benito de Valladolid; No. de Catálogo 1321

2
Nicolás Francés
Trabaja en León desde antes de 1424 hasta 1468
Calle lateral izquierda de un retablo,

mostrando *Escenas de la vida de San Francisco*
Tabla, 557 × 558 cm
360 × 186 cm (detalle: lustrado)
Procedente de la capilla de La Esteva de Las Delicias de La Bañeza, León.
Entró en el Prado entre 1930 y 1932; No. de Catálogo 2545

1

I

1
Maestro anónimo, conocido como el
Maestro del arzobispo Dalmau de Mur
Trabaja en Aragón durante la segunda
mitad del siglo XV
San Vicente con un donante
Tabla, 185 × 117 cm
Entró en el Prado en 1920; No. de
Catálogo 1334

2
Maestro hispano-flamenco, conocido
como el Maestro de la capilla de Luna
Trabaja durante el último cuarto del
siglo XV
La sepultura de Cristo (La séptima pena de la
Virgen María)
Tabla, 105 × 71 cm
Procedente del Museo de la Trinidad;
No. de Catálogo 2425

2

1
Rodrigo de Osona el Joven
Trabaja en Valencia entre 1505 y 1530
La adoración de los pastores
Tabla, 78 × 44 cm
Entró en el Prado en 1941; No. de
Catálogo 2834

2
Maestro valenciano, conocido como el
Maestro de Perea
Trabaja hacia finales del siglo XV
La Visitación
Tabla, 126 × 155 cm
Legada por Don Pablo Bosch en 1915;
No. de Catálogo 2678

1

1

Maestro hispano-flamenco, conocido
como el Maestro de La Sisla
Trabaja en Castilla hacia finales del
siglo XV
La muerte de la Virgen
Tabla transportada a lienzo,
212 × 113 cm
Procedente del monasterio de La Sisla de
Toledo; No. de Catálogo 1259

2

Bartolomé Bermejo
Nacido en Córdoba; trabaja entre 1474 y
1495
Santo Domingo de Silos, aprox. 1474/77
Tabla, 242 × 130 cm
Entró en el Prado en 1920; No. de
Catálogo 1323

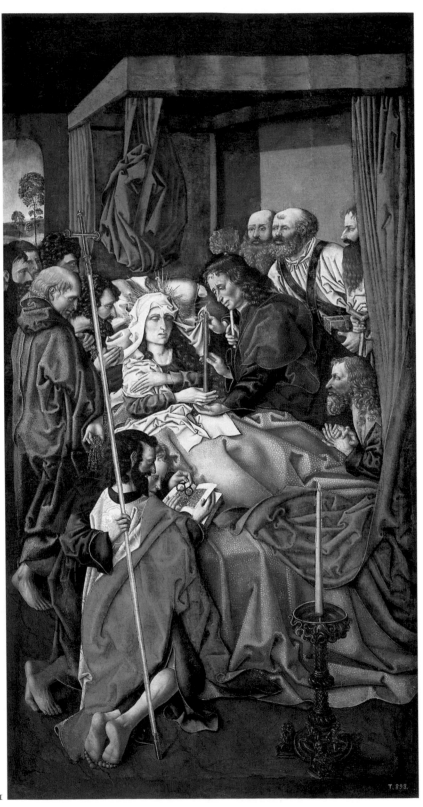

I

2

13

1
Juan de Flandes
Nacido aprox. 1465 (?); muerto 1519 en
Palencia
La Resucitación de Lázaro
Tabla, 110 × 84 cm
Procedente de la iglesia de San Lázaro de
Palencia; más tarde parte de la colección
Kress. Adquirida en 1952; No. de
Catálogo 2935

2
Juan de Flandes
Nacido aprox. 1465 (?); muerto 1519 en
Palencia
Pentecostés
Tabla, 110 × 84 cm
Procedente de la iglesia de San Lázaro de
Palencia; más tarde parte de la colección
Kress. Adquirida en 1952; No. de
Catálogo 2938

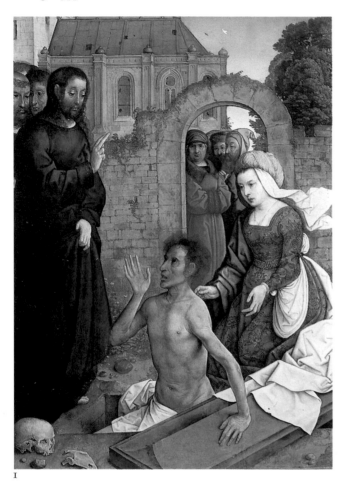

1

2

3
Fernando Gallego
Trabaja entre 1466 y 1507
La Piedad
Tabla, 118 × 102 cm
Procedente de la colección Wiebel de
Madrid. Adquirida en 1959; No. de
Catálogo 2998

Esta obra, firmada por Fernando Gallego,
refleja claramente la influencia de la
pintura flamenca del siglo XV. Se nota
sobre todo en la postura tan rígida del
cuerpo de Cristo y en la triste expresión de
la Virgen, y también en el paisaje, con su
ciudad tan cuidadosamente descrita. Las
fantásticas formaciones rocosas y los
donantes diminutos no son específicamente flamencos, sino típicos de los retablos realizados por toda Europa a finales
de la Edad Media.

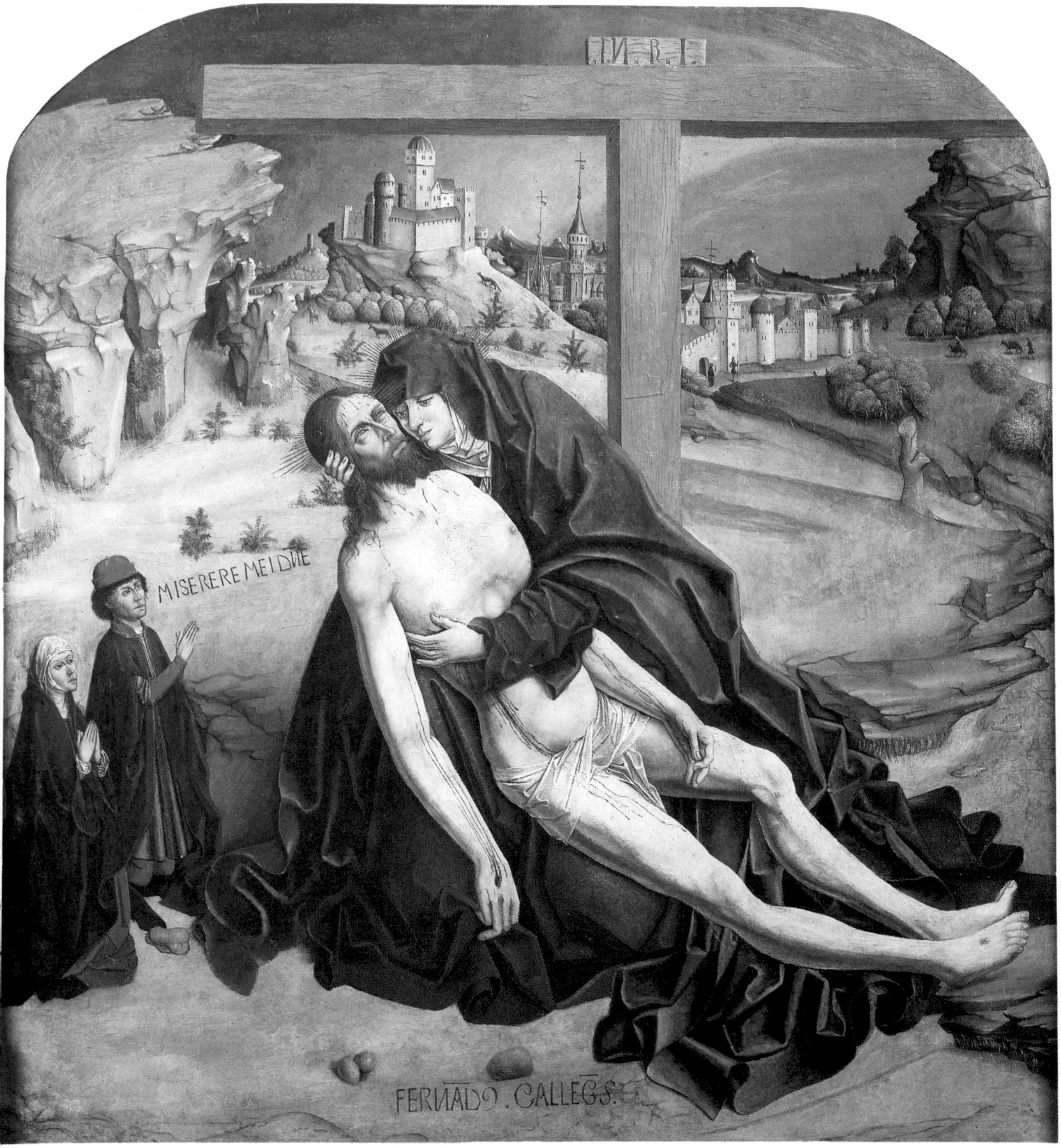
MISERERE MEI DNE
FERNADO . GALLEGS

3

1
Juan Correa de Vivar
Muerto 1566 en Toledo
La adoración del Niño, aprox. 1533/35
Tabla, 228 × 183 cm
Probablemente procede del monasterio de
Guisando de Ávila; No. de Catálogo 690

2
León Picardo
Trabaja en Burgos entre 1514 y 1530;
muerto 1547
La presentación de Cristo en el templo
Tabla, 170 × 139 cm
Procedente del monasterio de Támara de
Palencia. Adquirida en 1947; No. de
Catálogo 2172

3
Pedro Berruguete
Nacido aprox. 1450 en Paredes de Navas
(?); muerto antes de 1504
*Auto de fe presidido por Santo Domingo de
Guzmán*
Tabla, 154 × 92 cm
Procedente de la iglesia de Santo Tomás
de Ávila. Adquirida en 1867; No. de
Catálogo 618

1

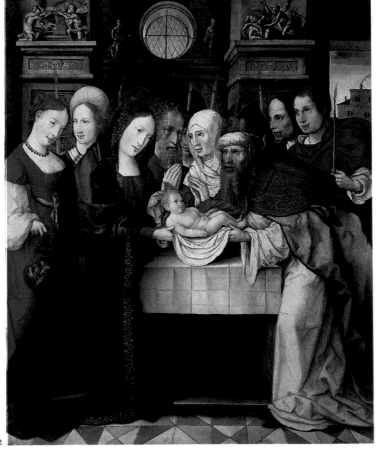

2

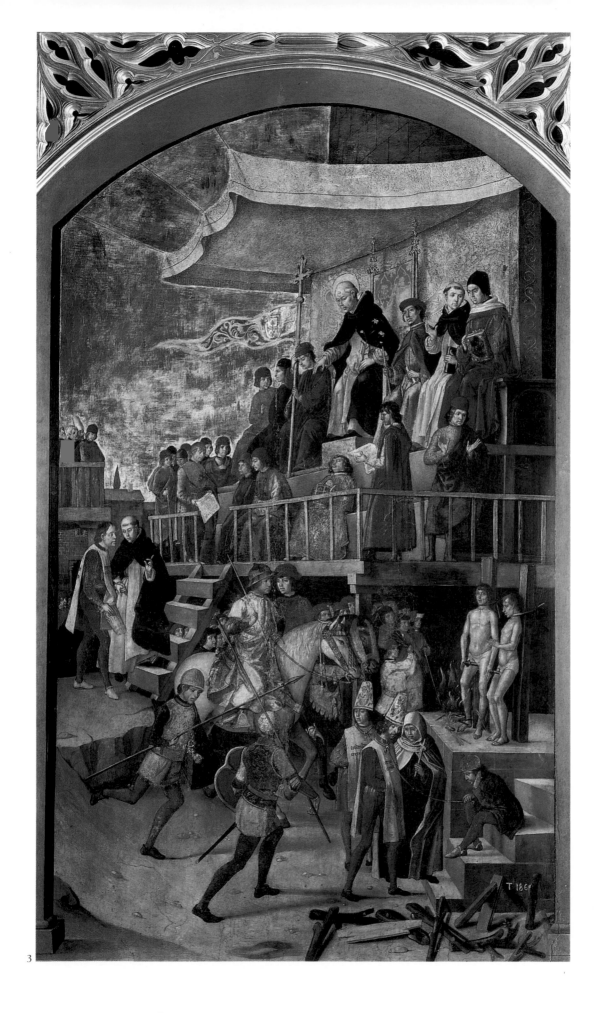

3

1

Pedro Berruguete
Nacido aprox. 1450 en Paredes de Navas
(?); muerto antes de 1504
La Virgen con el Niño
Tabla, 58 × 43 cm
Legada por Don Pablo Bosch en 1915;
No. de Catálogo 2709

2

Alejo Fernández
Córdoba, aprox. 1475 – Granada, aprox
1545/46
La flagelación de Cristo
Tabla, 42 × 35 cm
Formaba parte de la colección de Isabel de
Farnesio en 1746; No. de Catálogo 1925

1

2

4

Vicente Masip
Nacido aprox. 1475; muerto 1545 en
Valencia
La Visitación
Tabla, diámetro 60 cm
Procedente del convento de San Julián d
Valencia; más tarde parte de la colecciór
del marqués de Juna Real. Adquirida en
1826; No. de Catálogo 851

3
Vicente Juan Masip, llamado
Juan de Juanes
Fuente La Higuera (?), 1523 –
Bocairente, 1579
La Última Cena (La institución de la Eucaristía)
Tabla, 116 × 191 cm
Procedente de la iglesia de San Esteban de
Valencia. Entró en el Prado en 1818;
No. de Catálogo 846

3

4

1

Fernando Yáñez de la Almedina
Trabaja entre 1501 y 1531 en Valencia
Santa Catalina de Alejandría
Tabla, 212 × 112 cm
Procedente de la colección del marqués de
Casa-Argudín. Adquirida en 1946; No. de
Catálogo 2902

2

Paolo de San Leocadio (antes conocido
como el Maestro del Caballero de
Montesa)
Nacido en Italia; trabaja entre 1472 y
1514 en Valencia
La Virgen con el Niño (La Virgen del
Caballero de Montesa)
Tabla, 102 × 96 cm
Adquirida en 1919; No. de Catálogo 1335

1

2

3

Luis de Morales, llamado El Divino
Badajoz, aprox. 1500 – Badajoz, 1586
San Esteban
Tabla, 67 × 50 cm
Donada en 1915 por los descendientes de
la condesa de Castañeda; No. de Catálogo
948

4

Luis de Morales, llamado El Divino
Badajoz, aprox. 1500 – Badajoz, 1586
La Virgen con el Niño
Tabla, 84 × 64 cm
Legada por Don Pablo Bosch en 1915;
No. de Catálogo 2656

5

Pedro Machuca
Toledo, finales del siglo XV – muerto en
1550 en Granada
El descendimiento de la cruz
Tabla, 141 × 128 cm (incluyendo el
marco)
Adquirida en 1961; No. de Catálogo 3017

3

4

5

Alonso Sánchez Coello
Valencia, aprox. 1531/32 – Madrid, 1588
El príncipe Don Carlos de Austria
Lienzo, 109 × 95 cm
Colección de Felipe II; No. de Catálogo
1136

2
Bartolomé González
Valladolid, 1564 – Madrid, 1627
La reina Margarita de Austria, 1609
Lienzo, 116 × 100 cm
Origen desconocido
No. de Catálogo 716

3
Domenikos Theotokopoulos,
llamado El Greco
Kameia, aprox. 1540/41 – Toledo, 1614
Doctor Rodrigo de la Fuente (?), antes de
1598
Lienzo, 93 × 82 cm
Colección de Felipe IV; No. de Catálogo
807

4
Domenikos Theotokopoulos,
llamado El Greco
Kameia, aprox. 1540/41 – Toledo, 1614
Cristo abrazado a la cruz, aprox. 1600/10
Lienzo, 108 × 78 cm
Entró en el Prado en 1877; No. de
Catálogo 822

5
Domenikos Theotokopoulos,
llamado El Greco
Kameia, aprox. 1540/41 – Toledo, 1614
El caballero de la mano en el pecho, aprox.
1577/84
Lienzo, 81 × 66 cm
Colección real; No. de Catálogo 809

5

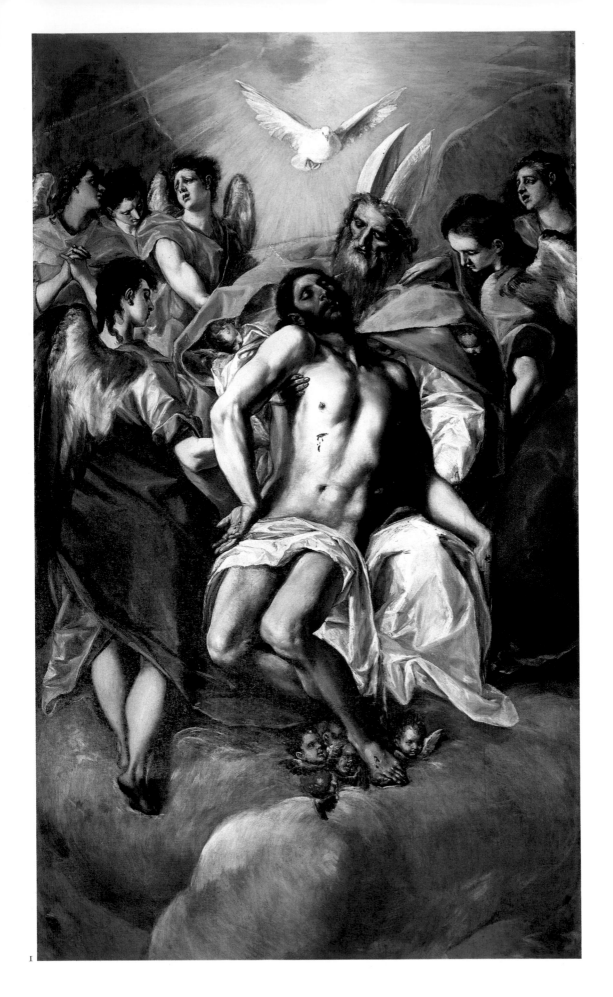

1
Domenikos Theotokopoulos,
llamado El Greco
Kameia, aprox. 1540/41 – Toledo, 1614
La Trinidad, aprox. 1577/79
Lienzo, 300 × 179 cm
Adquirido en 1827; No. de Catálogo 824

Concebida para Santo Domingo el
Antiguo, esta obra fue la primera comi-
sión de El Greco al llegar a Toledo en
1577. Ganó gran fama en esa ciudad, que
por aquel entonces era artísticamente
arcaica, asegurándole un buen porvenir.
La composición general se basa en un grabado de Dürer, y parece probable que el
artista tomó inspiración para la figura de
Cristo de la Piedad realizada por Miguel
Ángel para Vittoria Colonna. La acentua-
ción del cadáver de Cristo, junto a los páli-
dos colores de estilo manierista y la
composición algo suelta de las figuras,
resulta en un pathos febril.

2
Domenikos Theotokopoulos,
llamado El Greco
Kameia, aprox. 1540/41 – Toledo, 1614
La Resurrección, aprox. 1596/1610
Lienzo, 275 × 127 cm
Procedente del Colegio de Doña María de
Aragón, de Madrid; No. de Catálogo 825

2

**Domenikos Theotokopoulos,
llamado El Greco**
**Kameia, aprox. 1540/41–
Toledo, 1614**
La adoración de los pastores,
aprox. 1614
Lienzo, 319 × 180 cm
Entró en el Prado en 1954;
No. de Catálogo 2988

Esta obra, destinada por El
Greco a su propia capilla
sepulcral en Santo Domingo
el Antiguo, es un ejemplo
excelente del postrimer estilo
del artista. Los cuerpos alar-
gados parecen casi sin
sustancia; los colores fríos
y vibrantes se realzan por
medio de nerviosas pin-
celadas; las actitudes
exageradas de las figuras
comunican una espiritualidad
palpable.

Velázquez y el Siglo XVII

El Greco murió en 1614, cuando ya aparecían en España los primeros indicios del estilo conocido como el 'naturalismo tenebrista' que traería una nueva visión de la realidad pictórica. Su técnica consistía en singularizar detalles tales como pliegues, arrugas, o sútiles características físicas bajo una dura luz teatral, casi de foco, aislando y magnificándolas con su fuerte resplandor expresivo a fin de producir el máximo impacto en el espectador. Este primer naturalismo debe mucho a modelos italianos y tal vez ya se insinuaba en el retorno al orden, la claridad y lo inmediato que empezaba a manifestarse en algunos de los artistas de El Escorial, como Federico Zuccaro, Luca Cambiaso, Bartolomé Carducho y Francisco Ribalta.

Ribalta, un catalán de Solsona, que se formó en Castilla pero que se estableció en Valencia, se abrió a la influencia del naturalismo sin renunciar del todo las lúcidas formas del Renacimiento. El Prado posee algunas de sus obras más importantes. Simultáneamente, en Castilla, varios discípulos de los artistas traídos por Felipe II a El Escorial empezaron a regresar hacia formas del realismo. Las obras de estos artistas, notablemente Vicente Carducho y Juan Bautista Maino, también están bien representadas en el Museo. En Sevilla, a la sombra de maestros más viejos, de naturalismo tímido como Pacheco o Roelas, apenas presentes en el Prado, emergieron artistas más jóvenes como Cano, Velázquez y Zurbarán, quienes producirían obras magistrales dentro de los confines de un naturalismo más estricto.

Pero antes de llegar a la madurez de estos artistas, han de mencionarse las obras del pintor valenciano José de Ribera. Ribera emigró a Italia muy joven y nunca volvió a España, mas se considera tan importante en la historia de la pintura española como lo es en la italiana. Se estableció en Nápoles en 1616 y creó allí un estilo personal, deleitándose en amplias y grandiosas composiciones y en una concepción naturalista y sensual de la forma humana, el cual se estima como una de las expresiones más potentes del barroco europeo. Patrocinado con entusiasmo por los virreyes españoles de Nápoles, gran parte de su producción acabó en Madrid, guardada en los palacios reales hasta su paso al Prado. Con Ribera comienza la Edad de Oro de la pintura española.

Zurbarán, que tras una salida esporádica a la corte, trabajó siempre entre su Extremadura natal y Sevilla, pasó sólo los últimos años de su vida en Madrid. Lo esencial de la obra de Zurbarán permanece lejos del Prado, aunque el Museo exhibe una selección importante. Estas obras quizá sean las más representativas del mundo monástico de la Contrarreforma española, un mundo de 'pan cortado, vino y estameña', como lo define tan aptamente Rafael Alberti, que queda perfectamente encarnado en sus bodegones.

Velázquez, de carácter totalmente distinto, se estableció en la corte a partir de 1623 y fue estrechamente ligado con todos los aspectos de la vida cortesana. En este ambiente, con acceso a las soberbias colecciones de pintura veneciana y flamenca guardadas en los palacios madrileños, Velázquez no tardó en olvidarse del sobrio tenebrismo de su juventud sevillana. Así logró crear su estilo personal, maduro, que se caracteriza por una inimitable ligereza del pincel, una predilección por una gama de colores fríos, como se demuestra en su uso de tonalidades grises armonizadas, y una suprema sensibilidad en cuanto a composición y las poses de sus sujetos. La obra de Velázquez, el pintor cortesano por excelencia, permaneció casi íntegra en Palacio, y el Prado se enorgullece de poseer más de un tercio de su producción total, que sólo aquí puede estudiarse enteramente. Lógicamente, faltan los cuadros de su periodo naturalista sevillano, con la excepción de *La adoración de los Reyes* y unos cuantos retratos que sirven para indicar su estilo inicial. Se exhiben todas las fases maduras de Velázquez: sus retratos de reyes, príncipes, favoritos y bufones; sus temas mitológicos; sus cuadros históricos, tal como *La rendición de Breda*, con su soberbia dignidad de composición; sus tardías obras religiosas de suprema elegancia silenciosa; sus paisajes, tales como los jardines de la Villa Médicis romana, en que se percibe una sensibilidad más reservada y melancólica; y su magnífico *Las meninas*, asombroso símbolo de la relación que existe en toda la pintura entre las apariencias y la realidad, y a la vez guardián de su misterioso significado.

La oleada de obras del alto barroco que aparecieron en Madrid durante este periodo se produjo en gran parte para los proyectos decorativos monásticos y eclesiásticos. Como consecuencia de las leyes desamortizadoras de Mendizábal y la desaparición del Museo de la Trinidad, el Prado recogió muchas de dichas obras; colecciones aumentadas en algún caso por sucesivas compras y donaciones. Los siguientes artistas del periodo están bien representados: Antonio de Pereda, tan próximo aún al naturalismo en sus obras más distinguidas; Carreño de Miranda, cuyos retratos heredaron algo de la distinción de Velázquez; Herrera el Mozo, cuyas obras muestran elementos decorativos y a la vez dinámicos; Antolínez y Cerezo, delicados coloristas, muertos los dos en plena juventud; y Claudio Coello, con sus amplias imágenes retóricas y su magistral capacidad para comunicar lo inmediato.

En Sevilla, a partir de 1650, surgieron dos artistas de gran importancia. El primero, Murillo, gozó de gran popularidad durante los siglos XVIII y XIX, aunque desde entonces su fama ha quedado algo disminuida por lo que el gusto moderno considera en excesiva sentimentalidad sus obras. Esta imagen se debe en parte a la vulgarización de sus composiciones originales, a cargo de sus numerosos seguidores e imitadores, y más recientemente a las reproducciones en serie de baja calidad. Murillo, pintor de calidad técnica muy alta, notable delineante y colorista refinado, absorbió la tradición realista de la pintura religiosa de la Contrarreforma y la transformó a través de su estudio de los artistas flamencos, especialmente Van Dyck. El estilo que cultivó fue emocional y decorativo, y aunque algunos lo consideran afeminado y superficial, refleja una auténtica piedad y ejerció un verdadero encanto popular durante más de dos siglos. Murillo supo desarrollar una manera de expresión pictórica que resulta familiar, sencilla y tierna, y que consigue evadir los elementos crudos y desagradables incluso en aquellas composiciones que representan pícaros y mendigos. En este sentido, Murillo bien podría describirse como un artista sentimental, pero a pesar de su categorización moderna las obras que realizó son de una gran calidad y retienen su importancia en la historia del arte. El Prado posee una importante serie de sus cuadros, gracias, sobre todo, a las compras de la reina Isabel de Farnesio en Sevilla, pero también debido a adquisiciones posteriores. Por desgracia, faltan por completo los cuadros de pícaros y mendigos jóvenes, lo más popular de su obra, y es necesario estudiarlos fuera de España.

1
Bartolomé Carducho
Florencia, 1554 – Madrid, 1608
El Descendimiento, 1595
Lienzo, 263 × 181 cm
Ejecutado para la iglesia de San Felipe el
Real de Madrid; No. de Catálogo 66

2
Felipe Ramírez
**Trabaja probablemente en Toledo durante
el primer tercio del siglo XVII**
Bodegón
Lienzo, 72 × 92 cm
Adquirido en 1940 con un legado del
conde de Cartagena; No. de Catálogo
2802

1
Juan van der Hamen
Madrid, 1596 – Madrid, 1631
Flora, 1627
Lienzo, 216 × 140 cm
Legado en 1944 por el conde de la
Cimera; No. de Catálogo 2877

2
Fray Juan Bautista Maino
Pastrana, 1581 – Madrid, 1649
La adoración de los Reyes, 1612
Lienzo, 315 × 174 cm
Procedente de la iglesia de San Pedro
Mártir de Toledo; No. de Catálogo 886

3
Fray Juan Bautista Maino
Pastrana, 1581 – Madrid, 1649
La adoración de los pastores, 1612
Lienzo, 315 × 174 cm
Procedente de la iglesia de San Pedro
Mártir de Toledo; No. de Catálogo 3227

Ambas obras se concibieron como
retablos para el convento de San Pedro
Mártir de Toledo. Maino, en algunas
secciones de sus cuadros, se aproxima a lo
que ahora llamamos el 'hiperrealismo':
este efecto lográndose por medio de un
esmerado dominio de la textura, la forma
y el volumen de los objetos – junto con
una luz muy viva pero a la vez muy fría,
que manifiesta la influencia de Orazio
Gentileschi y del barroco italiano. En
cambio, sus composiciones exhiben muchos rasgos derivados de El Greco, cuyas
obras abundaban en Toledo.

1

3

1

2

1
Fray Juan Bautista Maino
Pastrana, 1581 – Madrid, 1649
La recuperación de Bahía del Brasil en 162
aprox. 1634/35
Lienzo, 309 × 381 cm
Procedente del Salón de Reinos del palac
del Buen Retiro. Entró en el Prado en
1827; No. de Catálogo 885

2
Francisco Collantes
Madrid, 1599 – Madrid, 1656
La Visión de Ezequiel, 1630
Lienzo, 177 × 205 cm
Colección de Felipe IV. Entró en el Prado
en 1827; No. de Catálogo 666

3
Francisco Collantes
Madrid, 1599 – Madrid, 1656
San Onofre
Lienzo, 168 × 108 cm
Colección de Isabel de Farnesio; No. de
Catálogo 3027

4
Fray Juan Andrés Rizi
Madrid, 1600 – Monte Cassino, 1681
Don Tiburcio de Redín
Lienzo, 203 × 124 cm
Colección de Carlos IV; No. de Catálogo
887

5
Diego Polo
Burgos, aprox. 1610 – Madrid, 1665
La caída de Maná
Lienzo, 187 × 238 cm
Procedente de la colección del infante Do
Sebastián Gabriel de Borbón.
Entró en el Prado en 1982; No. de
Catálogo 6775

3

4

5

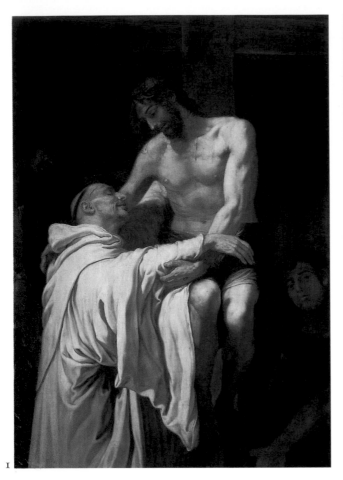

1

Francisco Ribalta
Solsona, 1565 – Valencia, 1628
Cristo abrazando a San Bernardo
Lienzo, 158 × 113 cm
Adquirido en 1940 con un donativo
legado por el conde de Cartagena; No. de
Catálogo 2804

2

Francisco Ribalta
Solsona, 1565 – Valencia, 1628
San Francisco consolado por un ángel
Lienzo, 204 × 158 cm
Colección de Carlos IV; No. de Catálogo
1062

3

José de Ribera
Játiva, 1591 – Nápoles, 1652
La Trinidad, aprox. 1635/36
Lienzo, 226 × 181 cm
Adquirido en 1820; No. de Catálogo 1069

3

osé de Ribera

ativa, 1591 – Nápoles, 1652

El sueño de Jacob, 1639

Lienzo, 179 × 233 cm

Formaba parte de la colección de Isabel
de Farnesio en 1746. Entró en el Prado
en 1827; No. de Catálogo 1117

Esta obra de Ribera es particularmente
interesante porque elude la iconografía
usual del sueño de Jacob, la imagen
tradicional de la escala. Aquí, el sueño se
sugiere únicamente por medio de unas
vaporosas figuras doradas que bien
podrían formar parte del cielo. Mas la postura del durmiente, y el juego de la luz en
su cara, confieren a la escena un tono portentoso y misterioso.

1

José de Ribera

Játiva, 1591 – Nápoles, 1652

El martirio de San Felipe, 1639 (?)

Lienzo, 234 × 234 cm

Colección de Felipe IV; No. de Catálogo
1101

2

José de Ribera

Játiva, 1591 – Nápoles, 1652

San Andrés, aprox. 1630/32

Lienzo, 123 × 95 cm

Antes en El Escorial. Entró en el Prado en
1838; No. de Catálogo 1078

3

José de Ribera

Játiva, 1591 – Nápoles, 1652

Jacob recibiendo la bendición de Isaac, 1637

Lienzo, 129 × 289 cm

Colección de Carlos II de España; No. de
Catálogo 1118

4

José de Ribera

Játiva, 1591 – Nápoles, 1652

*María Magdalena (¿o Santa Tais?) en el
desierto*, aprox. 1640/41

Lienzo, 181 × 195 cm

Procedente de la colección del marqués de
los Llanos; ya en el Palacio
Real de Madrid en 1772; No. de Catálogo
1103

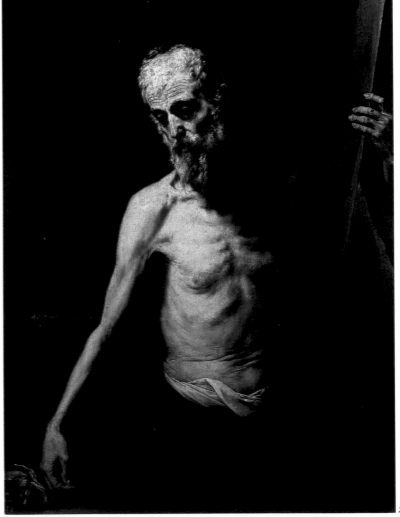

2

3

4

José de Ribera
Játiva, 1591 – Nápoles, 1652
El duelo entre Isabella de Carazzi y Diambra
de Pettinella, 1636
Lienzo, 235 × 212 cm
Colección de Felipe IV (?); No. de Catálogo
1124

Ribera se conoce ante todo por sus temas
religiosos, pero pintó varias escenas
mitológicas e históricas. Este cuadro
representa el caso verídico de un desafío
entre dos mujeres, Isabella de Carazzi y
Diambra de Pettinella, por el amor de
Fabio de Zeresola. Es probable que Ribera
se sintiese atraído por el carácter insólito
o grotesco del acontecimiento; también es
posible que le motivase el deseo de sa-
tirizar los duelos de honor, que eran un
fenómeno corriente en Nápoles durante
esa época. El artista emplea el cálido
colorido tan típico de sus obras maduras.

sé de Ribera

tiva, 1591 – Nápoles, 1652

n Pedro, liberado de la cárcel por un ángel,

539

enzo, 177 × 232 cm

ormaba parte de la colección de Isabel de

arnesio en 1746; No. de Catálogo 1073

1
Antonio de Pereda
Valladolid, 1611 – Madrid, 1678
San Jerónimo, 1643
Lienzo, 105 × 84 cm
Procedente del palacio de Aranjuez;
No. de Catálogo 1046

2
Antonio de Pereda
Valladolid, 1611 – Madrid, 1678
Cristo, Varón de Dolores, 1641
Lienzo, 97 × 78 cm
Procedente del Museo de la Trinidad;
No. de Catálogo 1047

3
Antonio de Pereda
Valladolid, 1611 – Madrid, 1678
El socorro de Génova, aprox. 1634/35
Lienzo, 290 × 370 cm
Procedente del Salón de Reinos del palacio
del Buen Retiro. Donado al Prado en
1912 por Marzel de Memes; No. de
Catálogo 1317

4
José Leonardo
**Calatayud, 1601 – Zaragoza, antes de
1653**
El nacimiento de la Virgen, 1640
Lienzo, 180 × 122 cm
Entró en el Museo de la Trinidad en 1864;
No. de Catálogo 860

5
José Leonardo
**Calatayud, 1601 – Zaragoza, antes de
1653**
San Sebastián
Lienzo, 192 × 58 cm
Formaba parte de la colección de Isabel de
Farnesio en 1746; No. de Catálogo 67

4

5

41

1
Diego Velázquez de Silva
Sevilla, 1599 – Madrid, 1660
Los borrachos o El triunfo de Baco
Lienzo, 165 × 225 cm
Colección de Felipe IV; No. de Catálogo
1170

I

2
Diego Velázquez de Silva
Sevilla, 1599 – Madrid, 1660
Apolo en la fragua de Vulcano, 1630
Lienzo, 223 × 290 cm
Adquirido para Felipe IV en 1634; No. de
Catálogo 1171

3
Diego Velázquez de Silva
Sevilla, 1599 – Madrid, 1660
Los jardines de la Villa Médicis, en Roma,
aprox. 1650/51
Lienzo, 48 × 42 cm
Colección de Felipe IV; No. de Catálogo
1210

4
Diego Velázquez de Silva
Sevilla, 1599 – Madrid, 1660
Los jardines de la Villa Médicis, en Roma,
aprox. 1650/51
Lienzo, 44 × 38 cm
Colección de Felipe IV; No. de Catálogo
1211

2

3

4

43

Diego Velázquez de Silva
Sevilla, 1599 – Madrid, 1660
La rendición de Breda, antes de 1635
Lienzo, 307 × 367 cm
Procedente del Salón de Reinos del palacio
del Buen Retiro; No. de Catálogo 1172

Velázquez no presenció la rendición de la
ciudad de Breda en persona, pero tuvo
acceso a un grabado realizado por Jacques
Callot poco después de la batalla
(en 1625), y en su primer viaje a Italia en
1629 conoció a Spinola, el general victorioso. El cuadro se encuentra totalmente
libre del sensacionalismo y la dramatiza-
ción que eran tan típicos de la pintura
barroca histórica de la época, y contrasta
de forma impresionante con obras tales
como *El encuentro del Cardenal-infante Don
Fernando y el rey de Hungría en Nördlingen*
de Rubens.

El recurso por el cual crea el paisaje,
para dejarlo extendido por detrás, como
un mapa, recuerda las obras de Peeter

Snayers. No obstante, por reconocible q[ue]
sea, carece de la precisión topográfica de
algunas de las otras contribuciones al
Salón de Reinos, y en efecto no constituy[e]
más que un fondo borroso para las
figuras. El cielo que se despeja y las
columnas de humo que se desvanece
quizá tengan la función de evocar la
batalla recién acabada. La variedad com[o]
presentes recrean la escena con una
circunstantes recrean la escena con una
convicción extraordinaria y transmiten [la]
impresión de que está ocurriendo ahora,
como si el observador estuviese presente
con el artista: de cierto modo anticipand[o]
el tema de *Las meninas*.

Diego Velázquez de Silva
Sevilla, 1599 – Madrid, 1660
El príncipe Baltasar Carlos a caballo, aprox.
1635/36
Lienzo, 209 × 173 cm
Procedente del Salón de Reinos del palacio
del Buen Retiro; No. de Catálogo 1180

Junto con otros cuatro retratos ecuestres
de Velázquez, además de un ciclo de trece
escenas de batalla de Cajes, Velázquez,
Maino, Zurbarán, Carducho, Castello,
Leonardo y Pereda, y también una serie
de los Trabajos de Hércules de Zurbarán,
este cuadro representaba un elemento en
el inmenso esquema decorativo del Salón
de Reinos del palacio del Buen Retiro. El

proyecto fue organizado por el conde-
duque de Olivares, con el fin de afirmar la
gloria de la monarquía española durante
lo que era en realidad un periodo de
decadencia. Este retrato, por muy convencional que sea, lo realizó Velázquez con su
convicción de siempre, y con toques de
empaste brillantemente sugerentes.

1
Diego Velázquez de Silva
Sevilla, 1599 – Madrid, 1660
La reina Doña Mariana de Austria, aprox.
1652/53
Lienzo, 231 × 131 cm
Colección de Felipe IV; No. de Catálogo
1191

2
Diego Velázquez de Silva
Sevilla, 1599 – Madrid, 1660
Pablo de Valladolid, aprox. 1632
Lienzo, 209 × 123 cm
Colección de Felipe IV (procedente del
apartamento de la reina del palacio del
Buen Retiro); No. de Catálogo 1198

1

2

3
Diego Velázquez de Silva
Sevilla, 1599 – Madrid, 1660
Las meninas, 1656
Lienzo, 316 × 276 cm
Colección de Felipe IV; No. de Catálogo
1174

Las meninas es más que un retrato, o
incluso que un retrato de un retratista
practicando su arte. Puede leerse como
una declaración en pintura de la dignidad
intelectual del arte. Sabemos que a Velázquez siempre le preocupaba su rango en la
corte y que debe haber asimilado gran
parte del tratado *El arte y la pintura*,

escrito por su suegro, Francisco Pacheco,
sobre la nobilidad de la pintura. Por
consiguiente, exhibe al rey y a la reina,
quienes, por ambiguo que sea el método,
están claramente presentes, como testigos
del pintor en pleno acto creativo. El artista
se representa a sí mismo pausado, para
demostrar que la pintura no sólo requiere
actuación sino también reflexión.

Las figuras del cuadro parecen sor-
prendidas entre una postura y la que
sigue, en un efecto de instantaneidad que
los impresionistas, y sobre todo Degas,
buscarían con tanto ahínco 200 años más
tarde. Otros pintores intentarían igualar o

mejorar el extraordinario ilusionismo de
espacio que habitan. La ingeniosa
capacidad que tenía Velázquez de evocar
el espacio ya era aparente en obras anteriores como *Los borrachos* y *La rendición a
Breda*; aquí, con el recurso de colocar al
rey y a la reina reflejados en un espejo,
extiende el orden espacial del cuadro par
incluir al espectador. El cuadro alcanza la
consumación de la ficción o el ilusionism
espacial barroco, y es una manifestación
singular del poder del arte tanto para
comunicar lo que es real como para ima-
nar lo que no lo es por naturaleza.

Diego Velázquez de Silva
Sevilla, 1599 – Madrid, 1660
El conde-duque de Olivares montado a
caballo, aprox. 1634
Lienzo, 313 × 239 cm
Adquirido para Carlos III en 1769 de la
colección del marqués de La Ensenada;
No. de Catálogo 1181

Diego Velázquez de Silva
Sevilla, 1599 – Madrid, 1660
Felipe IV de España, antes de 1628
Lienzo, 201 × 102 cm
Colección de Felipe IV; No. de Catálogo
1182

iego Velázquez de Silva
villa, 1599 – Madrid, 1660
s hilanderas, aprox. 1657
enzo, 220 × 289 cm
imensiones originales, 164 × 250 cm)
rmaba parte de la colección de Don
dro de Arce en 1664; más tarde en la
lección real; No. de Catálogo 1173

pesar de la polémica que ha habido en
anto al significado de *Las hilanderas*, la
encia del cuadro parece bastante clara.
igual que Velázquez contrapone campe-
os con Baco en *Los borrachos*, aquí
úa a Minerva, diosa de las tejedoras,
 Aracné, quien tuvo la osadía de
mpetir con ella, en el contexto de hilan-
ras auténticas. Es posible que la escena

refleje una escena cotidiana de la fábrica
de tapices de Sta Isabel, en Madrid.
Minerva se ve llegando al fondo, donde
está trabajando Aracné, mientras que en
primer plano otras hilanderas se concen-
tran en sus labores.

Velázquez transmite su laboriosidad con
sorprendente inmediatez, que parece
unir el zumbido de sus tornos de hilar con
los cambios de color en la luz. ¡Qué contraste con la muda suspensión y el
movimiento paralizado de *Las meninas*! Sin
embargo, lo que tienen en común ambos
cuadros y también ciertas obras anteriores
de Velázquez es esta ambigüedad en su
manejo del espacio, con el que deliberada-
mente fascina al espectador.

Diego Velázquez de Silva
Sevilla, 1599 – Madrid, 1660
Felipe IV de cazador, aprox. 1634/35
Lienzo, 191 × 126 cm
Encargado por Felipe IV para la Torre de
la Parada; No. de Catálogo 1184

Diego Velázquez de Silva
Sevilla, 1599 – Madrid, 1660
y
Juan Bautista Martínez del Mazo
Beteta (?), 1615 – Madrid, 1667
La infanta Doña Margarita de Austria,
aprox. 1660
Lienzo, 212 × 147 cm
Colección de Felipe IV; No. de Catálogo
1192

1

Diego Velázquez de Silva
Sevilla, 1599 – Madrid, 1660
El enano Don Juan Calabazas, llamado
Calabacillas, aprox. 1639
Lienzo, 106 × 83 cm
Colección de Felipe IV (procedente del
apartamento de la reina del palacio del
Buen Retiro); No. de Catálogo 1205

Los enanos, bobos y bufones abundaban
en la corte de Felipe IV. El rey los mantenía según una tradición que databa de
la Edad Media. La tradición fue motivada
por caridad, pero muchos 'bobos' llegaron
a ser estimados por su ingenio, desper-
tando gran afecto y a veces haciéndose
muy famosos. Ya que no se tomaban en
serio, tenían licencia para parodiar y
burlarse de la etiqueta con que tenían que
conformarse los cortesanos y la realeza y
por consiguiente fueron muy populares en
la rígida corte de Felipe IV.

Al retratarles, Velázquez utilizó una
serie de recursos muy sutiles: en este caso
es especialmente interesante el modo en
que la luz vacila incierta sobre la mueca
de Calabacillas, mostrando su vista defec-
tuosa. Aquí Velázquez anticipa, o puede
haber influido, las técnicas que emplearía
Goya 160 años más tarde.

2

Diego Velázquez de Silva
Sevilla, 1599 – Madrid, 1660
Marte, dios de la Guerra, 1640
Lienzo, 179 × 95 cm
Encargado por Felipe IV para la Torre de
la Parada, pabellón de caza de El Pardo.
Entró en el Prado después de 1827; No. de
Catálogo 1208

3

Diego Velázquez de Silva
Sevilla, 1599 – Madrid, 1660
San Antonio Abad y San Pablo, primer
ermitaño, aprox. 1642
Lienzo, 257 × 188 cm
Ejecutado para le ermita de San Pablo en
los jardines del palacio del Buen Retiro;
No. de Catálogo 1169

53

1
Diego Velázquez de Silva
Sevilla, 1599 – Madrid, 1660
El bufón llamado Don Juan de Austria,
aprox. 1632/35
Lienzo, 210 × 123 cm
Colección de Felipe IV (procedente del
apartamento de la reina del palacio del
Buen Retiro); No. de Catálogo 1200

2
Diego Velázquez de Silva
Sevilla, 1599 – Madrid, 1660
Esopo, 1640
Lienzo, 179 × 94 cm
Encargado por Felipe IV para la Torre de
la Parada. Entró en el Prado después de
1827; No. de Catálogo 1206

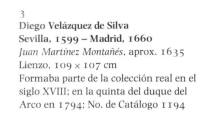

3
Diego **Velázquez de Silva**
Sevilla, 1599 – Madrid, 1660
Juan Martínez Montañés, aprox. 1635
Lienzo, 109 × 107 cm
Formaba parte de la colección real en el
siglo XVIII; en la quinta del duque del
Arco en 1794; No. de Catálogo 1194

5

4
Diego Velázquez de Silva
Sevilla, 1599 – Madrid, 1660
*El enano Francisco Lezcano, llamado el Niño
de Vallecas*, aprox. 1637
Lienzo, 107 × 83 cm
Encargado por Felipe II para la Torre de la
Parada. Entró en el Prado después de
1827; No. de Catálogo 1204

5
Juan Bautista Martínez del Mazo
Beteta (?), 1615 – Madrid, 1667
*La emperatriz Doña Margarita de Austria
vestida de luto*, 1666
Lienzo, 209 × 147 cm
Entró en el Prado en 1847; No. de
Catálogo 888

Juan Bautista Martínez del Mazo
Beteta (?), 1615 – Madrid, 1667
Vista de Zaragoza, 1547 (?)
Lienzo, 181 × 331 cm
Encargado por el príncipe Baltasar Carlos;
colección de Felipe IV; No. de Catálogo
889

1
Juan Martín Cabezalero
Almadén (Ciudad Real), 1633 – Madrid,
1673
La Asunción de la Virgen
Lienzo, 237 × 169 cm
Procedente del palacio de Aranjuez; No. de
Catálogo 658
2
Mateo Cerezo
Burgos, aprox. 1626 – Madrid, 1666
Los desposorios místicos de Santa Catalina,
1660
Lienzo, 207 × 163 cm
Adquirido para Fernando VII de la colec-
ción de Don José Antonio Ruiz; No. de
Catálogo 659

1

2

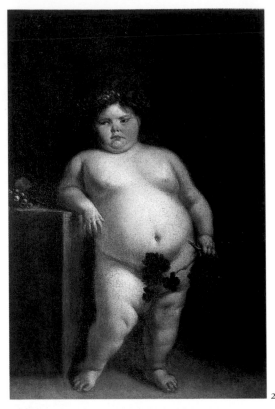

1

Juan Carreño de Miranda
Avilés, 1614 – Madrid, 1685
Eugenia Martínez Vallejo, llamada La
monstrua
Lienzo, 165 × 107 cm
Colección de Carlos II de España; No. de
Catálogo 646

2

Juan Carreño de Miranda
Avilés, 1614 – Madrid, 1685
La monstrua desnuda (Eugenia Martínez
Vallejo desvestida)
Lienzo, 165 × 108 cm
Colección de Carlos II de España; No. de
Catálogo 2800

3

Juan Carreño de Miranda
Avilés, 1614 – Madrid, 1685
El embajador ruso Piotr Ivanowitz Potemkin,
1681
Lienzo, 204 × 120 cm
Colección de Carlos II de España; No. de
Catálogo 645

4

Juan Carreño de Miranda
Avilés, 1614 – Madrid, 1685
El duque de Pastrana
Lienzo, 217 × 155 cm
Adquirido en 1896 de la colección del
duque de Osuna; No. de Catálogo 650

Este retrato reflexivo muestra la habilidad
artística de Carreño, que logra contra-
balancear el impacto de la oscura e im-
ponente figura del duque con un colorido
delicado y melancólico. El estilo de la obra
evoca los retratos de Van Dyck en
Inglaterra.

T. 1255

59

José Antolínez
Madrid, 1635 – Madrid, 1675
La Asunción de María Magdalena
Lienzo, 205 × 163 cm
Adquirido en 1829; No. de Catálogo 591

Claudio Coello
Madrid, 1642 – Madrid, 1693
El triunfo de San Agustín, 1664
Lienzo, 271 × 203 cm
Procedente del convento de los recoletos
agustinianos de Alcalá de Henares.
Entró en el Museo de la Trinidad en 1836;
No. de Catálogo 664

Coello, que era de origen portugués, se
convirtió en uno de los principales ex-
ponentes de la escuela barroca madrileña
del siglo XVII, habiendo asimilado la
influencia de Carreño y la pintura
flamenca. El cuadro, de unas dimensiones
grandes, exhibe unas características muy
típicas del artista, tal como el eje diagonal
de las figuras, que hace resaltar el

movimiento tan dinámico del santo, así
como el hecho de que se desarrolle en una
escenografía teatral de arquitectura
clásica. Los sensuales y suntuosos colores
recuerdan a Rubens, y no queda duda de
que Coello fuese influido por sus obras, ya
que había muchas en la colección real.

I

Francisco de Zurbarán
Fuente de Cantos, 1598 – Madrid, 1664
La defensa de Cádiz contra los ingleses, 1634
Lienzo, 302 × 323 cm
Procedente del Salón de Reinos del palacio
del Buen Retiro; No. de Catálogo 656

I

2
Francisco de Zurbarán
Fuente de Cantos, 1598 – Madrid, 1664
Bodegón
Lienzo, 46 × 84 cm
Donado en 1940 por Don Francisco
Cambó; No. de Catálogo 2803

3
Francisco de Zurbarán
Fuente de Cantos, 1598 – Madrid, 1664
Santa Casilda, 1640
Lienzo, 184 × 90 cm
Formaba parte de la colección real a fina-
les del siglo XVIII; No. de Catálogo 1239

4
Francisco de Zurbarán
Fuente de Cantos, 1598 – Madrid, 1664
La Inmaculada Concepción, aprox. 1630/35
Lienzo, 139 × 104 cm
Adquirido en 1956; No. de Catálogo 2992

2

3

4

Antonio del Castillo
Córdoba, 1616 – Córdoba, 1668
José y sus hermanos
Lienzo, 109 × 145 cm
Entró en el Museo de la Trinidad en 1863;
No. de Catálogo 951

Alonso Cano
Granada, 1601 – Granada, 1667
Cristo muerto sostenido por un ángel, aprox.
1646/52
Lienzo, 178 × 121 cm
Adquirido para Carlos III en 1769 de la
colección del marqués de Ensenada;
No. de Catálogo 629

Alonso Cano
Granada, 1601 – Granada, 1667
El milagro del pozo, aprox. 1546/48
Lienzo, 216 × 149 cm
Entró en el Prado en 1941; No. de
Catálogo 2806

1

2

Bartolomé Esteban Murillo
Sevilla, 1618 – Sevilla, 1682
La adoración de los pastores, aprox.
1650/55
Lienzo, 187 × 228 cm
Adquirido para Carlos III en 1764 de la
colección Kelly. Entró en el Prado en
1819; No. de Catálogo 961

Murillo, como Velázquez y Ribera, es uno
de los pocos artistas españoles de re-
nombre internacional. Incluso durante la
vida de Murillo se exportaban sus escenas
de género a Flandes. Sin embargo, sus
obras despertaron mucho más interés a
principios del siglo XIX, periodo en que,
como consecuencia de la invasión
napoleónica de España, los agentes de
coleccionistas franceses y de otras
naciones pudieron adquirir y exportar
cuadros de otro tipo que también había
realizado.

Esta obra, realizada hacia el principio
de su carrera, refleja las características
típicas de la escuela sevillana, con las que
Murillo se formó. Se acentúa el detalle
claro, realizado por los contrastes de
sombra y luz. El punto de vista alto crea la
impresión de que el espectador acaba de
irrumpir en la escena representada. Tales
efectos de intimidad e inmediatez eran
típicos de los fines del estilo barroco de la
contrarreforma.

Bartolomé Esteban Murillo
Sevilla, 1618 – Sevilla, 1682
La Sagrada Familia, antes de 1650
Lienzo, 144 × 188 cm
Era parte de la colección de Isabel de
Farnesio en 1746; No. de Catálogo 960

Bartolomé Esteban Murillo
Sevilla, 1618 – Sevilla, 1682
El martirio de San Andrés, aprox. 1675/82
Lienzo, 123 × 162 cm
Colección de Carlos IV; No. de Catálogo
982

Bartolomé Esteban Murillo
Sevilla, 1618 – Sevilla, 1682
El buen pastor, aprox. 1660
Lienzo, 123 × 161 cm
Formaba parte de la colección de Isabel de
Farnesio en 1746; No. de Catálogo 962

3

4

1

Bartolomé Esteban Murillo
Sevilla, 1618 – Sevilla, 1682
La fundación de Sta Maria Maggiore de
Roma: El sueño del patricio, aprox.
1662/65
Lienzo, 232 × 522 cm
Procedente de la iglesia de Santa María la
Blanca de Sevilla. Entró en el Prado en
1901; No. de Catálogo 994

2

Bartolomé Esteban Murillo
Sevilla, 1618 – Sevilla, 1682
La fundación de Sta Maria Maggiore de
Roma: El patricio revela su sueño al Papa,
aprox. 1662/65
Lienzo, 232 × 522 cm
Procedente de la iglesia de Santa María la
Blanca de Sevilla. Entró en el Prado en
1901; No. de Catálogo 995

1

2

3
Bartolomé Esteban Murillo
Sevilla, 1618 – Sevilla, 1682
La Inmaculada de Soult, aprox. 1678
Lienzo, 274 × 190 cm
Ejecutado para la iglesia del Hospital de
Venerables Sacerdotes de Sevilla; llevado a
Francia en 1813 por el Mariscal Soult.
Devuelto al Prado en 1941; No. de
Catálogo 2809

3

1

2

3

Francisco de Herrera el Mozo
Sevilla, 1622 – Madrid, 1685
El triunfo de San Hermenegildo
Lienzo, 328 × 229 cm
Procedente del convento de los carmelitas
descalzos de Madrid. Entró en el Prado en
1832; No. de Catálogo 833

Goya y el Siglo XVIII

Hasta hace poco el siglo XVIII se consideraba un periodo de interés menor para la pintura española. Se abre con artistas que aún trabajan en el estilo barroco decorativo del siglo anterior. Los cuadros de Palomino, más conocido como el gran biógrafo de los artistas españoles, siguen la manera de Coello y reflejan la influencia de Luca Giordano; representan la obra de la escuela madrileña de aquella época. El siglo continúa con el enérgico desarrollo de la influencia artística francesa e italiana introducida por los Borbones. Dicha influencia se limitó inicialmente a los ambientes cortesanos, pero más tarde abarcó toda España como resultado de la creación de las academias – iniciada con la fundación de la Real de San Fernando en 1753. Las academias institucionalizaron el viaje a Roma y unificaron la producción de los artistas contemporáneos, quienes, a decir la verdad, tampoco mostraron demasiada perspectiva creadora.

Antes de llegar al fenómeno de Goya, que cierra el siglo de manera tan extraordinaria, han de mencionarse otros dos artistas cuyas obras se singularizan entre la discreta medianía de sus contemporáneos. El primero es Meléndez, el pintor de bodegones, cuyas exquisitas representaciones de cacharros, creadas con una objetividad minuciosa y obsesiva, reflejan la herencia naturalista del siglo anterior. El segundo es Luis Paret, de padre francés, cuyas obras poseen una fragilidad aporcelanada, vivamente interpretada con una técnica diminuta que funde lo mejor del rococó francés e italiano. La obra de Paret, estricto contemporáneo de Goya, consiste en cuadritos de gabinete, temas costumbristas y preciosas escenas cortesanas que reflejan una variada y encantadora sensibilidad; está bien representado en el Museo.

La emergencia de Francisco José Goya no sólo redime la pintura española de siglo XVIII por entero, sino que anticipa algunas de las formas más interesantes del arte moderno, tal como el surrealismo y el impresionismo. Aunque su formación y producción artística inicial se efectuaron fuera de Madrid, su matrimonio con la hermana de Francisco Bayeu, artista favorecido por la corte, y su nombramiento en 1785 como pintor del rey, le convirtieron en el retratista oficial de Palacio. Goya disfrutó de una posición especial en la corte, hecho que determinó que el Prado heredara directamente una parte importante de su obra, incluso los retratos oficiales y los cuadros históricos. Éstos últimos se basan en su experiencia personal de la guerra y transcienden la representación patriótica y heroica para crear una salvaje denunciación de la crueldad humana.

El Prado también posee sus bellos cartones para tapices, que reflejan lo más gozoso y popular de su obra, con gran gentileza en su composición y colorido. Esta ligereza de tono a veces va combinada con un mordaz sentido de humor, una aguda observación de la realidad externa, y algún que otro toque de ironía. Por último, el Prado posee las célebres 'pinturas negras', en las que a los 72 años, Goya, viejo, sordo y solitario, expresó a través de la implacable representación de la inutilidad humana, su amargado pesimismo en cuanto a una era capaz de destruir a su propia progenie. Tomadas en conjunto, las obras de Goya forman la colección más variada y numerosa de todo el Museo. Apenas parece necesario señalar que el estudio de esta colección es imprescindible para entender su genio.

1
Luis Egidio Meléndez
Nápoles, 1716 – Madrid, 1780
Bodegón, 1772
Lienzo, 42 × 62 cm
Colección de Carlos III; No. de Catálogo
902

2
Luis Paret
Madrid, 1746 – Madrid, 1798 o 1799
Ramo de flores
Lienzo, 39 × 37 cm
Colección de Carlos IV; No. de Catálogo
1043

1

2

Luis Paret
Madrid, 1746 – Madrid, 1798 o 1799
Carlos III, almorzando ante su corte, aprox.
1770
Tabla, 50 × 64 cm
Procedente del palacio de Gatchina, en
Rusia. Adquirida con un donativo legado
por el conde de Cartagena; No. de
Catálogo 2422

Paret es el representante más distinguid[o]
del estilo rococó español. Retrata a los
aristócratas y a los miembros de la alta
burguesía de su día con finura y elegan[cia]
estudiada. Influido por las escuelas
venecianas y francesas del siglo XVIII,
desarrolló una técnica personal que
combina texturas vidriosas y amanerad[as]
con colores claros y vaporosos. Presenta
sus escenas y paisajes en una atmósfera
soñadora tenuemente imbuida de ironía

1
Francisco Bayeu
Zaragoza, 1734 – Madrid, 1795
El Olimpo: La batalla con los gigantes, 1764
Lienzo, 68 × 123 cm
Adquirido por Fernando VII para el Prado;
No. de Catálogo 604

2
Luis Paret
Madrid, 1746 – Madrid, 1798 o 1799
*María Nieves Micaela Fourdinies, la esposa
del artista*, aprox. 1780
Cobre, 37 × 28 cm
Adquirido en 1974; No. de Catálogo 3250

1
Antonio Carnicero
Salamanca, 1748 – Madrid, 1814
Un globo Montgolfier en Aranjuez, aprox.
1764
Lienzo, 170 × 284 cm
Adquirido de la colección del duque de
Osuna en 1896; No. de Catálogo 641

2
José Camarón
Segorbe, 1730 – Valencia, 1803
Bailando el bolero, aprox. 1790
Lienzo, 83 × 108 cm
Adquirido en 1980 de la colección del
príncipe de Hohenlohe del Quexigal,
Madrid; No. de Catálogo 6732

1

2

Francisco José de Goya
Fuendetodos, 1745 – Burdeos, 1828
Autorretrato, 1815
Lienzo, 46 × 35 cm
Adquirido para el Museo de la Trinidad en
1866. Entró en el Prado en 1872; No. de
Catálogo 723

En esta visión rigurosa y melancólica
Goya parece intentar expresar su
paciencia frente al sufrimiento y la
desilusión.

1
Francisco José de Goya
Fuendetodos, 1745 – Burdeos, 1828
La maja y los embozados, 1777
Lienzo, 275 × 190 cm
Procedente del Palacio Real de Madrid.
Entró en el Prado en 1870; No. de
Catálogo 771

2
Francisco José de Goya
Fuendetodos, 1745 – Burdeos, 1828
El cacharrero, 1779
Lienzo, 259 × 220 cm
Procedente del Palacio Real de Madrid.
Entró en el Prado en 1870; No. de
Catálogo 780

Francisco José de Goya
Fuendetodos, 1745 – Burdeos, 1828
El quitasol, 1777
Lienzo, 104 × 152 cm
Procedente del Palacio Real de Madrid.
Entró en el Prado en 1870; No. de
Catálogo 773

Este lienzo fue ejecutado como el cartón
para un tapiz que colgaría por encima de
una de las puertas del comedor del
Príncipe de Asturias en El Pardo. Goya
trabajó para la fábrica de tapices de Sta
Bárbara repetidas veces desde 1775 hasta
1792 en comisiones reales de este género.
La serie de cartones que realizó nos per-

mite seguir la evolución de su arte desde
unas representaciones ortodoxas y cortesanas aptas para la decoración de los
palacios hacia una expresión más indivi-
dualista: proceso en que el artista pasa
sútil y gradualmente del delicado chiste
rebuscado a la gracia manifiesta que va
enlazada con descarada ironía.

1

2

2
Francisco José de Goya
Fuendetodos, 1745 – Burdeos, 1828
El verano o La era, 1786
Lienzo, 276 × 641 cm
Procedente del Palacio Real de Madrid.
Entró en el Prado en 1870; No. de
Catálogo 794

3
Francisco José de Goya
Fuendetodos, 1745 – Burdeos, 1828
El otoño o La vendimia, 1786
Lienzo, 275 × 190 cm
Procedente del Palacio Real de Madrid.
Entró en el Prado en 1870; No. de
Catálogo 795

3

1

2

Francisco José de Goya
Fuendetodos, 1745 – Burdeos, 1828
La gallina ciega, 1789
Lienzo, 269 × 350 cm
Procedente del Palacio Real de Madrid.
Entró en el Prado en 1870; No. de
Catálogo 804

Francisco José de Goya
Fuendetodos, 1745 – Burdeos, 1828
La pradera de San Isidro, 1788
Lienzo, 44 × 94 cm
Adquirido de la colección del duque de
Osuna en 1896; No. de Catálogo 750

Francisco José de Goya
Fuendetodos, 1745 – Burdeos, 1828
El prendimiento de Cristo, aprox. 1788/98
Lienzo, 40 × 23 cm
Adquirido en 1966; No. de Catálogo 3113

3

1

1
Francisco José de Goya
Fuendetodos, 1745 – Burdeos, 1828
Los juglares, 1793 (?)
Hojalata, 43 × 32 cm
Adquirida en 1962; No. de Catálogo 30

2
Francisco José de Goya
Fuendetodos, 1745 – Burdeos, 1828
Los duques de Osuna y sus hijos, 1788
Lienzo, 225 × 174 cm
Donado al Prado en 1897 por los
descendientes del duque de Osuna; No.
Catálogo 739

Varias grandes familias españolas encar
garon obras a Goya, entre ellas los Osur
Su retrato colectivo muestra notable
sensibilidad y gran variedad. Los niños,
con sus frágiles figuras y la curiosidad
infantil de sus miradas transparentes, se
inolvidables (es interesante notar, adem
que el que está sentado sería un futuro
Director del Prado). La composición es
sencilla y prescinde del fondo escenográ
fico de la casa, que sirve para aumentar
intimidad – a la vez realzada por el delicado colorido gris plateado.

1

Francisco José de Goya
Fuendetodos, 1745 – Burdeos, 1828
Carlos III, de cazador, aprox. 1786/88
Lienzo, 210 × 127 cm
Colección de Carlos III; No. de Catálogo
737

2

Francisco José de Goya
Fuendetodos, 1745 – Burdeos, 1828
Doña Tadea Arias de Enríquez, aprox.
1793/94
Lienzo, 190 × 106 cm
Donado al Prado en 1896 por Doña
Luisa y Don Gabriel Enríquez; No. de
Catálogo 740

I

2

Francisco José de Goya
Fuendetodos, 1745 – Burdeos, 1828
Doña Josefa Bayeu de Goya, la esposa del
artista (?), aprox. 1790/98
Lienzo, 81 × 56 cm
Adquirido en 1866 para el Museo de la
Trinidad. Entró en el Prado en 1872:
No. de Catálogo 722

Francisco José de Goya
Fuendetodos, 1745 – Burdeos, 1828
El duque de Alba, 1795
Lienzo, 195 × 126 cm
Legado en 1926 por el conde de Niebla;
No. de Catálogo 2449

1 **Francisco José de Goya**
Fuendetodos, 1745 – Burdeos, 1828

2

1

2

3

Francisco José de Goya
Fuendetodos, 1745 – Burdeos, 1828
El infante Don Francisco de Paula Antonio,
1800
Lienzo, 74 × 60 cm
Colección de Carlos IV; No. de Catálogo
730

92

ancisco José de Goya
endetodos, 1745 – Burdeos, 1828
los IV con su familia, 1800
nzo, 280 × 336 cm
lección de Carlos IV; No. de Catálogo
6

1
Francisco José de Goya
Fuendetodos, 1745 – Burdeos, 1828
La maja desnuda, aprox. 1800/03
Lienzo, 97 × 190 cm
Procedente de la colección de la Real
Academia de San Fernando. Entró en el
Prado en 1901; No. de Catálogo 742

2
Francisco José de Goya
Fuendetodos, 1745 – Burdeos, 1828
La maja vestida, aprox. 1800/03
Lienzo, 95 × 190 cm
Procedente de la colección de la Real
Academia de San Fernando. Entró en el
Prado en 1901; No. de Catálogo 741

1

2

Francisco José de Goya
Fuendetodos, 1745 – Burdeos, 1828
Don Gaspar Melchor de Jovellanos, aprox.
1798
Lienzo, 205 × 123 cm
Adquirido en 1974; No. de Catálogo 3236

Francisco José de Goya
Fuendetodos, 1745 – Burdeos, 1828
El dos de mayo de 1808: la lucha contra
los mamelucos, 1814
Lienzo, 266 × 345 cm
Colección de Fernando VII; No. de
Catálogo 748

ncisco José de Goya
endetodos, 1745 – Burdeos, 1828
tres de mayo de 1808: los fusilamientos
la montaña del Príncipe Pío, 1814
nzo, 266 × 345 cm
lección de Fernando VII; No. Catálogo
9

Francisco José de Goya
Fuendetodos, 1745 – Burdeos, 1828
El coloso, aprox. 1808/12
Lienzo, 116 × 105 cm
Legado en 1930 por Don Pedro Fernández
Durán; No. de Catálogo 2785

Las célebres 'pinturas negras' de Goya reciben su nombre por su espantoso contenido y no por su colorido. Goya las pintó sobre las paredes interiores de su casa, llamada la Quinta del Sordo, a orillas del Manzanares. Una vez rescatadas, fueron pasadas a lienzo en 1873. Son sumamente personales y abrumadoramente pesimistas. Hay muchas maneras de interpretarlas en detalle, pero la idea del conflicto inútil y de la atrición emerge con frecuencia. El artista envejecido exhibe una constante preocupación por la descomposición, lo grotesco y lo horrible.

Francisco José de Goya
Fuendetodos, 1745 – Burdeos, 1828
La Leocadia (Doña Leocadia Zorrilla, ama de llaves del artista), aprox. 1821/23
Pintura mural transportada a lienzo, 147 × 132 cm
Donada en 1881 por el Baron Emile d'Erlanger; No. de Catálogo 754

1
Francisco José de Goya
Fuendetodos, 1745 – Burdeos, 1828
Perro semihundido, aprox. 1821/23
Pintura mural transportada a lienzo,
134 × 80 cm
Donada en 1881 por el Baron Emile
d'Erlanger; No. de Catálogo 767

2
Francisco José de Goya
Fuendetodos, 1745 – Burdeos, 1828
Saturno devorando a un hijo, aprox.
1821/23
Pintura mural transportada a lienzo,
146 × 83 cm
Donada en 1881 por el Baron Emile
d'Erlanger; No. de Catálogo 763

1

2

I
Francisco José de Goya
Fuendetodos, 1745 – Burdeos, 1828
El destino (Atropos), aprox. 1821/23
Pintura mural transportada a lienzo,
123 × 266 cm
Donada en 1881 por el Baron Emile
d'Erlanger; No. de Catálogo 757

2
Francisco José de Goya
Fuendetodos, 1745 – Burdeos, 1828
Aquelarre (escena sabática), aprox.
1821/23
Pintura mural transportada a lienzo,
140 × 438 cm
Donada en 1881 por el Baron Emile
d'Erlanger; No. de Catálogo 761

3
Francisco José de Goya
Fuendetodos, 1745 – Burdeos, 1828
La romería de San Isidro, aprox. 1821/23
Pintura mural transportada a lienzo,
146 × 438 cm
Donada en 1881 por el Baron Emile
d'Erlanger; No. de Catálogo 760

1

2

3

4

Francisco José de Goya
Fuendetodos, 1745 – Burdeos, 1828
Una corrida de toros, aprox. 1825
Lienzo, 38 × 46 cm
Donada en 1962 por el Sr Thomas
Harris; No. de Catálogo 3047

Francisco José de Goya
Fuendetodos, 1745 – Burdeos, 1828
La lechera de Burdeos, 1827
Lienzo, 74 × 68 cm
Legado en 1946 por el conde de Muguiro;
No. de Catálogo 2899

Realizada un año antes de morir, esta
obra es un tributo a la vitalidad de Goya
pese a su vejez. Continuando sus experi-
mentos con nuevas técnicas, adopta una
serie de colores más libres y más luminosos, usando pinceladas más cortas y
aplicando los colores en un estilo que
anticipa los impresionistas.

5

El Siglo XIX

La mayoría del arte romántico del siglo XIX se encuentra en el Casón del Buen Retiro (el anexo del Prado), donde también se dedica un largo trecho a los distinguidos retratos de Federico de Madrazo, que sucedió a Vicente López como el más notable retratista madrileño. El Casón también contiene las obras de Antonio María Esquivel, con ejemplares de sus cuadros históricos, composiciones religiosas, obras de género y retratos, incluso su *Reunión de poetas*, que es de interés especial.

Tres de los artistas del periodo – Lucas, Alenza y Lameyer – ejemplifican lo que el historiador Elías Tormo llamó la 'veta brava', una característica de la pintura española que vuelve a presentarse desde El Greco, por vía de Goya, hasta Picasso. Estos artistas podrían describirse como 'coloristas románticos', muy al estilo de Delacroix, espíritu del romanticismo francés, a distinción de su compatriota Ingres, campeón del clasicismo. Sería una injusticia el categorizar a Eugenio Lucas como simple imitador de Goya, aunque es indiscutible que no fue poco su talento para asimilar su manera 'negra', puesto que revela mucha más inteligencia y capacidad creadora en sus obras menos derivativas. El Casón exhibe una extensa colección de la obra de Lucas, con cuadros que muestran sus temas favoritos – entre ellos escenas de la Inquisicione; brujería, corridas de toros, y majas en el balcón. Artista más importante que Lucas, Leonardo Alenza, tampoco dejó de ser goyesco, influencia que se revela en obras tales como el retrato de Pasutti y *La azotaina*, efectivamente una versión del *Capricho* titulado *Si quebró el cántaro* . . . Sin embargo, antes de dar con Goya, Alenza absorbió la influencia de Teniers, a través de obras actualmente en el Prado, y su estilo costumbrista tanto puede atribuirse a este contexto como a la influencia posterior de Goya. Entre este grupo de 'coloristas románticos' también destaca Francisco Lameyer, pintor cautivado por los temas africanos y orientales, y cuya predilección le ganó el título algo incongruente del 'Delacroix español'.

El costumbrismo español consistió en varios estilos individuales que se estimaron tanto en España como en el extranjero. Los cuatro pintores principales que lo representan en el Casón del Buen Retiro son: el delicado purista Valeriano Bécquer; el casi ingenuo Manuel Cabral y Aguado Bejarano; el realista Manuel Castellano; y Manuel Rodríguez de Guzmán. Bajo el influjo de David Roberts (1796–1864), artistas como Luis Rigalt establecieron una nueva formas de paisajismo, todavía de mayores dimensiones, del que se desarrollaría el inmediato paisaje realista. Su propagador más significativo en España fue Carlos de Haes, nacido en Bélgica, pero formado en Málaga, y sin duda alguna más español que flamenco.

Entre los artistas contemporáneos en los inicios del paisaje realista español, se halla Martín Rico. De origen madrileño, Rico acabaría estableciéndose en Venecia, y su estilo tardío demuestra un luminismo de dibujo muy preciso, en parte influido por Mariano Fortuny; otro contemporáneo, Ramón Martí y Alsina, ejerció gran influencia en su Cataluña natal. Entre la colección de paisajes realistas que guarda el Casón, también figuran obras de los siguientes artistas: Jaime Morera, uno de los seguidores más allegados de Haes; Antonio Muñoz Degrain, que no se dedicó exclusivamente a los paisajes; y José Jiménez Aranda, afamado pintor de cuadros de género anecdótico en su tiempo, que también compuso paisajes que parecen anticipar el hiperrealismo del siglo XX.

Mariano Fortuny fue un pintor que disfrutó de una reputación considerable durante su corta y brillante carrera. Aunque los enemigos de la primera ola del impresionismo francés le reprocharon por su asociación con el nuevo estilo, de ningún modo fue un exacto impresionista. No obstante, su obra demuestra muchos elementos encantadores, entre ellos un regocijo en los efectos de la luz del sol, una técnica fluida y desenvuelta, por el contrario un dibujo riguroso, y una paleta siempre en armonía con su sujeto, lo mismo clara que oscura. De todas la obras tan variadas de Fortuny que se exhiben en el Casón, son ciertas partes del cuadro que realizó de sus hijos en el salón japonés que tal vez sean las más representativas de la modernidad y virtuosismo de su producción. A pesar de su extremado realismo, Raimundo de Madrazo, cuñado de Fortuny e hijo del pintor Federico de Madrazo, también es un artista agradable.

Figura paralela en calidad a la de Fortuny es para los españoles la de Eduardo Rosales. A diferencia del libre desenfado característico del estilo de Fortuny, la obra de Rosales es de una gravedad señorial que refleja algo de la humanidad y creatividad que infunden el espíritu del genio español. Rosales se sitúa conscientemente en la tradición histórica española, tal cual puede admirarse en su composición monumental del *Testamento de Isabel la Católica*.

Otros dos artistas interesantes, coetáneos de Rosales y Fortuny, son Vicente Palmaroli y José Casado del Alisal. Palmaroli es un pintor ambivalente. Por un lado produjo obras minuciosamente delineadas y modeladas; mientras que por otro, cultivó un estilo muy fluido, de paleta quebrada, en que predominaban las tonalidades oscuras y sobrias.

Tres artistas valencianos – Francisco Domingo Marqués, Ignacio Pinazo y Joaquín Sorolla – llegaron a ser figuras sumamente significativas del arte español de finales del siglo XIX y principios del siglo XX. Los tres desarrollaron el realismo del siglo XIX de manera dramática, con sus estilos tan ricos y fluidos. Marqués y Pinazo lo consiguieron sin renunciar a la paleta quebrada y a menudo oscura; muestran un vivo interes por la calidad material de la pintura misma, y representan el mundo natural con gran destreza. No obstante, aunque Sorolla tampoco abandonara por completo la paleta oscura, que parece tan afín al temperamento español, logró convertirse en luminista muy poderoso.

La última sala del Casón contiene paisajes de los años postreros del siglo XIX y primeros del siglo XX, junto a algunos ejemplos de la pintura del siglo XX. Hay una extensa serie de cuadros de Aureliano de Beruete, que dejan bien claro su carácter impresionista, con su aguda percepción de luz, atmósfera y forma. También hay varias obras de Agustín Riancho, quien como Beruete, fue seguidor de Carlos de Haes. Riancho terminó su carrera de pintor realista con una repentina transformación propia, que resultó en un estilo intenso y exaltado, casi a la manera del fauvismo. Asimismo, se exhiben obras por los siguientes artistas catalanes: Francisco Gimeno, profundamente influido por los orígenes realistas de su formación decimonónica; el siempre ponderado Santiago Rusiñol; y el fogoso colorista Joaquín Mir.

Queda por informar en este pequeño recorrido del arte del siglo XIX que pertenece al Prado, que mientras la colección entera es extensa, gran parte de ella se ha depositado en diversos museos españoles. La colección procede en gran medida de las obras premiadas en las Exposiciones Nacionales de Bellas Artes, inauguradas en 1856. Un número considerable de piezas de la mejor calidad proceden de donaciones y legados testamentarios. La colección, que antes había pertenecido a los Museos del Prado y de la Trinidad, estuvo en el Museo Nacional de Arte Moderno de Madrid desde 1894 hasta 1968. Al cerrarse éste último, la colección se transfirió al Museo Español de Arte Contemporáneo, también en Madrid, donde permaneció hasta 1971.

1

2

Vicente López
Valencia, 1772 – Madrid, 1850
Francisco José de Goya, 1826
Lienzo, 93 × 77 cm
Formaba parte de la colección real en el
siglo XIX; No. de Catálogo 864

I

Bernardo López
Valencia, 1800 – Madrid, 1874
La reina Doña María Isabel de Braganza,
1829
Lienzo, 254 × 172 cm
Formaba parte de la colección real en el
siglo XIX; No. de Catálogo 863

Bernardo López, hijo del más célebre
Vicente López, nunca desarrolló su propio
estilo de manera significativa, sino que
permaneció fiel seguidor de su padre. La
retratada, nacida en 1797 que murió
joven en 1818, fue la segunda esposa d
Fernando VII de España además de hija
Juan VI de Portugal y Carlota Joaquina
Borbón. El cuadro la conmemora como
cofundadora del Prado.

2

Ascensio Juliá
Valencia, 1767 – Madrid, aprox. 1830
Escena de una comedia
Lienzo, 42 × 56 cm
Adquirido en 1934; No. de Catálogo 25

3

Eugenio Lucas
Alcalá de Henares, 1824 – Madrid, 187
Un cazador
Lienzo, 216 × 153 cm
Adquirido en 1931; No. de Catálogo 44

4

Eugenio Lucas
Alcalá de Henares, 1824 – Madrid, 187
Majas al balcón, 1862
Lienzo, 107 × 81 cm
Procedente del legado Vitórica de 1969;
No. de Catálogo 4427

Antonio María Esquivel
Sevilla, 1806 – Madrid, 1857
Reunión de poetas, 1846
Lienzo, 144 × 217 cm
Donado en 1866 por el Ministerio de
Fomento; No. de Catálogo 4299

Leonardo Alenza
Madrid, 1807 – Madrid, 1845
El gallego de los curritos
Lienzo, 35 × 25 cm
Procedente del Museo de Arte Moderno;
No. de Catálogo 4205

I

2

3
Valeriano Domínguez Bécquer
Sevilla, 1834 – Madrid, 1870
Campesinos sorianos bailando, 1866
Lienzo, 65 × 101 cm
Donado por el artista al recibir una
pensión estatal; No. de Catálogo 4324

4
Francisco Lameyer
Puerto de Santa María, 1825 – Madrid,
1877
Un grupo de moros
Tabla, 38 × 54 cm
Procedente del legado Laffitte de 1942;
No. de Catálogo 4394

3

4

I

Manuel Rodríguez de Guzmán
Madrid, 1818 – Madrid, aprox. 1866/67
Le feria de Santiponce, 1855
Lienzo, 125 × 196 cm
Adquirido en 1856; No. de Catálogo 4604

2

Federico de Madrazo
Roma, 1815 – Madrid, 1894
La condesa de Vilches, 1853
Lienzo, 126 × 89 cm
Legado en 1944 por el conde de la
Cimera; No. de Catálogo 2878

Federico de Madrazo fue nombrado
Director del Prado dos veces, desde 1860
hasta 1868 y desde 1881 hasta su
muerte; era hijo del pintor José de Madrazo, que también había sido Director del
Prado. Sus retratos exhiben admirable
refinamiento y sensibilidad, una delicada
armonía de color y textura, y la clara
influencia del pintor francés Ingres. El
sujeto de este cuadro, con su atractiva
combinación de lo aristocrático y lo
familiar, es la condesa de Vilches
(1821–74), eminente escritora y
personalidad de los salones literarios
de su día.

3
Eduardo Rosales
Madrid, 1837 – Madrid, 1873
El testamento de Isabel la Católica, 1864
Lienzo, 287 × 398 cm
Adquirido en 1865; No. de Catálogo 4625

4
Luis Rigalt
Barcelona, 1814 – Barcelona, 1894
Paisaje con una roca sobresaliente
Lienzo, 62 × 98 cm
Adquirido en 1974; No. de Catálogo 4601

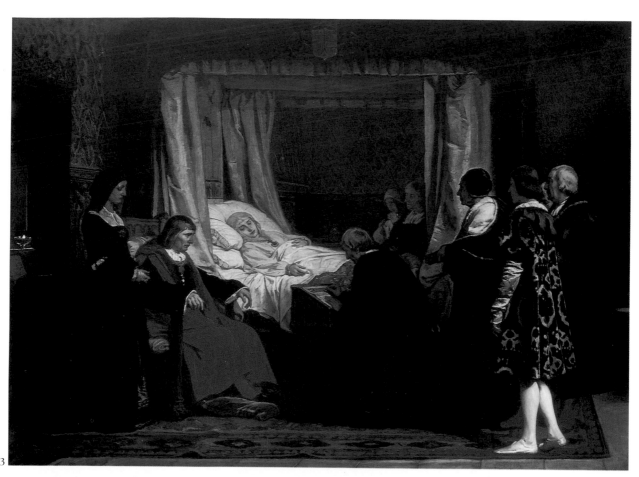

3

4

1

3

4

3
Mariano Fortuny
Reus, 1838 – Roma, 1874
Un desnudo en la playa de Portici
Lienzo, 13 × 19 cm
Legado en 1904 por Don Ramón de
Errazu; No. de Catálogo 2606

4
Eduardo Rosales
Madrid, 1837 – Madrid, 1873
Saliendo del baño
Lienzo, 185 × 90 cm
Adquirido en 1878; No. de Catálogo 4616

1

1
Mariano Fortuny
Reus, 1838 – Roma, 1874
Marroquíes
Tabla, 13 × 19 cm
Legada en 1904 por Don Ramón de
Errazu; No. de Catálogo 2607

2
Mariano Fortuny
Reus, 1838 – Roma, 1874
Idilio, 1868
Papel, 31 × 22 cm
Legado en 1904 por Don Ramón de
Errazu; No. de Catálogo 2609

2

3
Raimundo de Madrazo
Roma, 1841 – Versailles, 1920
Aline Masson, modelo del artista
Tabla, 60 × 47 cm
Legada en 1904 por Don Ramón de
Errazu; No. de Catálogo 2622

4
Francisco Domingo Marqués
Valencia, 1842 – Madrid, 1920
*El estudio de Antonio Muñoz Degrain en
Valencia*, 1867
Lienzo, 38 × 50 cm
Adquirido en 1904; No. de Catálogo 4484

1
Aureliano de Beruete
Madrid, 1845 – Madrid, 1912
Las orillas del río Manzanares
Lienzo, 57 × 81 cm
Origen desconocido
No. de Catálogo 4252

2
Ignacio Pinazo
Valencia, 1849 – Godella, 1916
Estudio de un desnudo, 1888
Tabla, 10 × 18 cm
Origen desconocido
No. de Catálogo 4578

1

2

Carlos de Haes
Bruselas, 1826 – Madrid, 1898
Los Picos de Europa, 1876
Lienzo, 167 × 123 cm
Adquirido en 1876; No. de Catálogo 4391

Martín Rico
Madrid, 1835 – Venecia, 1908
El palacio del dux y la Riva degli Schiavoni,
Venecia
Lienzo, 41 × 71 cm
Legado en 1904 por Don Ramón de
Errazu; No. de Catálogo 2625

Joaquin Mir
Barcelona, 1873 – Barcelona, 1940
Las aguas de Naguda, 1917
Lienzo, 129 × 128 cm
Adquirido en 1917; No. de Catálogo 4513

Joaquín Sorolla
Valencia, 1863 – Carcadilla, 1923
Niños en la playa, 1910
Lienzo, 118 × 185 cm
Presentado en 1919 por el artista; No. de
Catálogo 4648

Formado en la tradición realista del siglo
XIX, Sorolla giró hacia un estilo más
luminoso y colorista, que le permitió
expresar su conciencia de la vitalidad y
frescura de la naturaleza. Por medio de
sus contactos con los impresionistas
franceses, desarrolló una técnica de
largas, seguras pinceladas y una amplia
escala de colores.

1

Las Colecciones
Extranjeras

Las Colecciones Extranjeras

El que recorra las galerías del Prado y examine sus magníficas obras, no podrá menos que sentirse impresionado por la calidad universal del Museo. Hay que tener en cuenta, además, que las diversas colecciones no reflejan las preferencias instruidas de los historiadores de arte ni tampoco de los escolásticos, sino los gustos personales y las actitudes políticas de los monarcas, cortesanos y consejeros que las reunieron.

Después de la estrecha colaboración económica entre Castilla y los Países Bajos durante la Edad Media, una serie de matrimonios y defunciones reales eventualmente llevaron a que Carlos I se convirtiese en rey de España y también Flandes en 1517, y que dos años más tarde, con el nombre de Carlos V, fuese elegido emperador de Austria y el Sacro Imperio. Estas circunstancias facilitaron la importación española de muchas obras de artistas flamencos desde el siglo XV en adelante, y gran parte de ellas llegaron a formar parte de la colección real.

La colección italiana del Prado es una de las más representativas que existe, y muchos la consideran indispensable para entender por completo la evolución artística italiana. La mayoría de los cuadros se adquirieron directamente desde Madrid. Tradicionalmente, fue la escuela veneciana la que más favorecían los monarcas españoles, en parte, sin duda alguna, debido a que Tiziano fuese retratista oficial no sólo al servicio de Carlos V sino también de Felipe II. Éste último, sobre todo, reunió una impresionante colección de cuadros italianos, que incluía obras de Correggio y Rafael, con los cuales adornó el Alcázar de Madrid, El Pardo y Aranjuez. Aunque Felipe III no fue gran coleccionista, el duque de Urbino le obsequió con dos magníficos lienzos de Barocci, y fue en 1603, durante su reinado, cuando Rubens visitó la corte de Madrid por primera vez, al acompañar una embajada de Vincenzo Gonzaga, duque de Mantua.

En cambio, Felipe IV fue gran patrón de las artes. Su reinado coincidió con el punto culminante de artistas españoles del calibre de Velázquez, Zurbarán y Ribera, y sin embargo seguían importándose cantidad de pinturas flamencas para completar la decoración de los palacios reales. Al morirse Rubens y venderse su estudio, Felipe adquirió muchos de sus cuadros, y después de la ejecución de Carlos I de Inglaterra en 1648, de su fondo restante los agentes reales compraron obras de Mantegna, Rafael, Veronese, Andrea del Sarto, Tintoretto y Dürer. Con la construcción del palacio del Buen Retiro de Madrid en 1630, se encargaron y buscaron muchas obras en Italia, y los embajadores de Roma y los virreyes de Nápoles compitieron entre sí a fin de enviar los cuadros más exquisitos para la decoración de la nueva residencia real y el antiguo Alcázar. La reina Cristina de Suecia le regaló dos tablas de Dürer, y también hubo obras donadas por diversos aristócratas españoles e italianos; mientras que Velázquez fue encargado de efectuar las adquisiciones reales en Italia.

Al morirse Felipe en 1665 la colección ya era magnífica, y su sucesor, Carlos II, no la aumentó de modo significativo – aunque durante su reinado se añadieron algunas obras de Rubens y varios bodegones italianos de Recco, Nuzzi y Belvedere. En 1692 llegó Luca Giordano a la corte, y dominó el ambiente artístico de España a lo largo de diez años. Inspiró renovado interés en los esquemas decorativos a grande escala, y su presencia coincidió con los últimos esplendores de la llamada 'Edad de Oro' de la pintura española.

En 1700, con el inicio de la dinastía de Borbón en España, Felipe V, nieto de Luis XIV de Francia, subió al trono español. Él y su segunda esposa, la italiana Isabel de Farnesio, encargaron escenas de género y retratos de artistas franceses tales como Houasse y Ranc, y escogieron artistas italianos así como Procaccini y Vaccaro cuando querían obras religiosas o históricas. La restauración de los palacios antiguos y la construcción de los nuevos, tal como La Granja, exigieron decoraciones nuevas. Así pues, por un lado llegaron retratos familiares por Rigaud, Largillière, De Troy, Santerre y Gobert, mientras por otro los agentes del rey adquirieron cuadros en Italia, Francia y los Países Bajos.

Fernando VI contribuyó poco al patrocinio artístico español, aunque durante su reinado varios pintores italianos realizaron decoraciones murales y obras menores. Carlos III, que reinó 29 años, completó la construcción del nuevo palacio de Madrid y encargó a Tiépolo y a Mengs para que lo decorasen. Durante este periodo se adquirieron muchas obras muy famosas de una serie de artistas que incluye Rembrandt y Tintoretto; y el príncipe de Asturias, que más tarde sería Carlos IV, empezó su propia colección. En 1808, cuando perdió el trono, ya había acumulado una colección muy sofisticada, la cual se añadiría a la de sus antepasados. Entre sus adquisiciones figuraban cuadros de artistas contemporáneos como Pillement y Vernet, junto con obras más antiguas de Andrea del Sarto, Robert Campin, Rafael, Domenichino, Turchi, y Cavedone – actualmente exhibidas en el Prado.

Después del trastorno causado por las guerras napoleónicas y la invasión de España en 1808, la Casa de Borbón fue debidamente restablecida en 1814 con la figura de Fernando VII, y el Museo del Prado se inauguró por fin en

La Pintura Italiana

1819. El Director, Federico de Madrazo, obtuvo el bellísimo retablo *La Anunciación* de Fra Angelico en 1860, y cinco años después el Museo recibió el exquisito donativo del políptico de cuarenta animales realizado en lámina de cobre por Van Kessel el Viejo.

En 1872 se transfirieron al Prado numerosas pinturas religiosas del Museo de La Trinidad, incluyendo obras de Van der Weyden y Barocci. La abundancia de donaciones siguió hasta el final del siglo XIX, la más notable siendo el extraordinario obsequio de casi doscientos cuadros de parte de la duquesa de Pastrana.

El periodo entre 1914 y 1936 fue extremadamente provechoso para el Prado. Se adquirieron obras de Andrea del Sarto, Van der Weyden, Van Kessel, Bernini, Tiépolo y Van Scorel. Desde el final de la Segunda Guerra mundial las colecciones se han ampliado de manera más sistemática. Esto queda ejemplificado por la colección de pintura británica, que no existía a principios del siglo y que ahora se enorgullece de exhibir obras de Reynolds, Gainsborough, Lawrence y Romney, entre otros. La colección británica concluye la representación de la pintura extranjera del Prado.

La pintura italiana constituye la tercera colección más grande del Prado e incluye gran parte del arte italiano adquirido o encargado por la monarquía española entre los siglos XVI y XIX. Las relaciones políticas entre España e Italia jugaron un papel importante en la formación de las colecciones de pintura italiana en España durante dicho periodo. Fue por medio de estos lazos que se formó no sólo la colección real sino también las colecciones particulares de la nobleza, cuyos miembros solían seguir los gustos impuestos por la corte y cuyas visitas a Italia, como embajadores, les permitieron adquirir obras notables.

Claro está que el gusto personal de los monarcas españoles determinó la composición de las colecciones reales. Esto explica la abundancia de obras de la escuela veneciana del siglo XVI y de los artistas más importantes que trabajaron en Roma a mediados del siglo XVII. Sin embargo, también explica la existencia de lagunas significativas en otros periodos. De ahí la falta de obras de los cuatrocentistas italianos, dado que en los tiempos de los Reyes Católicos los lazos económicos y políticos con Flandes dirigieron la decidida voluntad de estos monarcas en la adquisición de obras de arte flamencas. Del mismo modo, durante el siglo XVIII, el establecimiento de la dinastía de Borbón en España determinó que sus intereses artísticos se inclinasen más hacia la pintura francesa que a las enérgicas escuelas italianas del periodo.

Entre las obras más antiguas de la colección italiana hay dos tablas pequeñas del siglo XIV, probablemente predelas de un cuadro de altar. Se atribuyen a Taddeo Gaddi (aunque no concuerda toda la crítica), artista florentino del círculo de los seguidores de Giotto. Los fondos de oro sirven de encuadre a unas figuras que a la vez quedan realzadas, mas la elegancia y la riqueza de las vestiduras no disminuyen el concepto monumental de la forma ni tampoco el expresivo individualismo, ambos derivados de Giotto. También se exhibe una tabla de Giovanni dal Ponte, quien se podría considerar artista algo arcaico. Mientras que la tabla, que formaba el frontal de un *cassone* (un arca de lencería) y representa las siete artes liberales, se puede fechar alrededor de 1435, la ausencia de perspectiva geométrica, el fondo dorado y las elegantes y afectadas actitudes de las figuras sugieren estrechos contactos con el gótico internacional de un periodo anterior, y hacen de esta obra un ejemplo interesante del estado de la pintura justo antes de las innovaciones del primer Renacimiento florentino.

La colección de pinturas del Quattrocento que posee el Prado comienza con la exquisita *Anunciación* de Fra Angelico, obra que procede de uno de los altares del convento de San Domenico en Fiésole, cerca de Florencia, la cual fue vendida por los frailes dominicanos en 1611 a fin de restaurar el campanario de la iglesia. Comprada por el duque de Lerma, poderoso favorito de Felipe III, la obra fue donada ese mismo año al convento de las Descalzas Reales de Madrid, donde adornó uno de los altares del claustro. En 1861 el entonces Director del Prado, Federico de Madrazo, descubrió esta magnífica tabla en excelente estado de conservación, e hizo que se trasladara al Museo, reemplazándola con una obra suya del mismo tema.

La pintura cuatrocentista florentina de la segunda mitad del siglo xv está representada por tres tablas de Botticelli que ilustran una historia tomada del *Decamerón* de Boccaccio. Aunque muy típicas del estilo inicial de Botticelli, exhiben muchas de las características posteriormente asociadas con el manierismo del siglo xvi.

Una de las piezas magistrales de las colecciones del Prado es sin duda *La muerte de la Virgen* por el artista paduano Andrea Mantegna. Refleja asimismo la fina percepción de Felipe IV y sus consejeros artísticos el que mostrasen interés por obras del Renacimiento temprano cuando el gusto predominante se volcaba hacia Rafael y los maestros contemporáneos del barroco.

Los cuadros cuatrocentistas de Venecia, tal como se representan en el Prado, nos sitúan en el umbral de la deslumbrante pintura venaciana del siglo xvi. *Cristo muerto sostenido por un ángel*, de Antonello da Messina, es una de las más bellas creaciones del artista, y revela la fusión de atmósfera y luz, una característica típica veneciana, con elementos de realismo nórdico.

Melozzo da Forlì, discípulo de Piero della Francesca, está representado por un pequeño detalle de un fresco con un ángel músico. Junto con Antoniazzo Romano, Melozzo es un ejemplo de la escuela umbra de fines del siglo xv, de la que más tarde surgiría Perugino y en la cual se formaría el joven Rafael. La relativa escasez de cuadros del siglo xv en el Prado se compensa con una magnífica colección de obras del siglo xvi, que procede de todos los centros artísticos de Italia.

El pleno desarrollo del clasicismo italiano de principios del siglo xvi se alcanza con sus representaciones de las obras de Rafael. *La Sagrada Familia del cordero*, realizada en 1507, durante su juventud, pertenece aun al periodo de Rafael en Florencia, en contacto con las ideas de Leonardo y Fra Bartolomeo. La composición que muestra el momento de mayor clasicismo del artista es *La Virgen del pez*, pintada hacia 1514. En esta obra, el espacio pictórico está determinado por las relaciones geométricas y las figuras adquieren un carácter sólido y monumental. El portentoso

Retrato de un Cardenal es una obra que revela la profunda percepción psicológica del artista, resumiendo en la severa figura del sujeto toda la finura, inteligencia e indiferencia de los príncipes de la iglesia durante ese periodo de recio conflicto con el luteranismo.

De Andrea del Sarto, el Prado posee un enigmático retrato femenino, en cuyo modelo la crítica reconoce a Lucrezia di Baccio del Fede, esposa del artista, y también el *Asunto místico*, la composición más grandiosa del pintor en el Museo. Esta escena, encuadrada en una estructura rigurosamente piramidal, está realizada con una técnica repleta de recuerdos del claroscuro leonardesco, mientras que el diestro colorido mezcla unas ricas tonalidades calientes – de rojos, verdes y amarillos puros – con otras, rosadas y llenas de tornasoles, que anticipan las audacias coloristas de manieristas florentinos tales como Pontormo y Bronzino.

El Prado también exhibe algunos de los ejemplos más bellos de la obra de Niccolò dell'Abate y Parmigianino, artistas del pleno manierismo que trabajaron a mediados del siglo xvi, mientras que los cuadros de Sebastiano del Piombo, Correggio y Barocci muestran las tendencias independientes e individualistas de otra serie de pintores que también forman parte del amplio panorama del manierismo. Correggio fue uno de los personajes más innovadores y más libres de la primera parte del siglo, y el Prado posee una de sus más célebres composiciones, *La Virgen con el Niño y San Juan*.

Habrá muy pocas colecciones que incluyan tantas obras de los grandes maestros venecianos del siglo xvi, Tiziano, Tintoretto y Veronese, así como cuadros por otras importantes figuras de Venecia como Lotto, Bassano y Moroni. Casi todos los cuadros venecianos del Prado proceden de las colecciones reales, y mientras que algunos se adquiriesen en el siglo xviii, la mayoría llegaron a España en los siglos xvi y xvii. Entre éstas últimas figura la *Venus y Adonis* de Veronese, adquirida en Italia por Velázquez quien llevaba el encargo expreso de Felipe IV de comprar todas las obras que estimara apropiadas para las colecciones reales.

El Prado también guarda la *Ofrenda a Venus* y la *Bacanal* de Tiziano, que junto con otra obra, *Baco y Ariadna*, actualmente en la National Gallery de Londres, constituyen una serie ejecutada entre 1519 y 1525 para Alfonso d'Este, duque de Ferrara. Estos cuadros son los primeros de sus notables composiciones mitológicas. La colección incluye importantes ejemplos de sus obras tardías de tema religioso así como varios retratos excelentes, los cuales tuvieron gran impacto sobre la retratística española de finales del siglo xvi y del siglo xvii. Entre sus magníficos retratos de la alta aristocracia del periodo, destaca la fascinante representación de Federico Gonzaga, duque de Mantua, con sus exquisitas tonalidades y vaga melancolía. Asimismo, el autorretrato de Tiziano es una pieza soberbia en su género. Esta obra, comentada por Vasari, perteneció a Rubens y fue comprada por Felipe IV en la venta de los bienes del artista después de su muerte en 1640, posiblemente aconsejado por Velázquez.

Casi todas las pinturas de Veronese exhibidas en el Prado fueron adquiridas durante el reino de Felipe IV. La obra de Veronese, con su suntuosidad de formas y colores y su fuerza expresiva, puede considerarse como la culminación del Renacimiento veneciano. La belleza sensual de sus figuras femeninas sólo se puede equiparar con la de las creaciones de Tiziano, calidad ejemplificada por la soberbia *Venus y Adonis*. Del mismo modo, detalles como la delicadeza casi rococó de la versión pequeña del *Hallazgo de Moisés*, y el uso tan admirable que hace de los luminosos paisajes, revelan la estética sumamente refinada de Veronese.

La obra de Tintoretto refleja un importante cambio de dirección para el arte veneciano, apartándose del sentido de armonía tan evidente en los cuadros de Tiziano y Veronese y dirigiéndose hacia una nueva expresividad que bien podría describirse como el manierismo 'a la veneciana'. La tensión dramática de sus composiciones – que se logra por medio del alargamiento de las figuras, el uso de colores llamativos y violentos toques de iluminación que atraviesan el lienzo como relámpagos de luz fría – hacen de Tintoretto uno de los pintores venecianos más originales de la época. El Prado posee una notable colección de sus obras, entre ellas *El Lavatorio* y *La batalla entre turcos y cristianos*, junto con una magnífica serie de retratos.

La escuela veneciana del siglo XVI se cierra en el Museo con numerosas obras del taller de los Bassano. El fundador de esta dinastía de pintores fue Jacopo Bassano, quien a base de temas bíblicos creó escenas de género y representaciones del mundo animal. La mayoría son obras alegres y decorativas en que el artista desarrolla el naturalismo, el sentido de espacio y color, y la vibrante pincelada de los maestros venecianos. Francesco Bassano, cuya obra más interesante tal vez sea *La Última Cena*, realizó cuadros del mismo carácter que su padre, y las pinturas de su hermano Leandro también reflejan temas parecidos.

El núcleo de la colección de siglo XVII está formado por obras encargadas por Felipe IV para la decoración del nuevo palacio del Buen Retiro, en la que intervinieron algunos de los más célebres pintores de la época. Las dos tendencias fundamentalmente italianas de los primeros años del siglo XVII fueron el clasicismo y el 'naturalismo tenebrista' – representadas en el Museo por unas colecciones de amplitud más bien mediana. Los cuadros del revolucionario Caravaggio, a excepción del bellísimo *David victorioso*, no parece que atrajeran la atención de los monarcas. No obstante, el Prado sí que posee admirables ejemplos de las obras de los caravaggistas, incluso *La degollación de San Juan Bautista* del napolitano Massimo Stanzione.

El movimiento clasicista, que originó en Bolonia al principio del siglo XVII, gracias a la actividad de Annibale Carracci y varios de sus discípulos, está asimismo presente en Museo del Prado. Las obras más significativas de este estilo son los de Carracci mismo, como *Venus y Adonis* y *La Asunción de la Virgen*, en que el artista funde los elementos del clasicismo con su conocimiento de la pintura veneciana del siglo XVI. Sus discípulos más inmediatos también quedan ampliamente representados por obras tales como *El tocador de Venus* de Francesco Albani e *Hipómenes y Atalanta* de Guido Reni. Domenichino, uno de los clasicistas más refinados de la primera parte del siglo, está representado por varias obras, incluso el pequeño *Arco triunfal*, fechado entre 1607 y 1610, y realizado en honor de Giovan Battista Aguchi, teórico del arte y amigo de los pintores clasicistas. A la pintura sumamente intelectual de Domenichino se opone la de su contemporáneo, Guercino – de quien el Prado guarda una notable colección. Otro de los seguidores de Carracci, Giovanni Lanfranco, puede considerarse como el anticipador de la grandiosa pintura del pleno barroco; las figuras de los *Gladiadores en un banquete* se disponen a la manera de un friso clásico y quedan realzadas por el uso de la luz contra un fondo tan oscuro.

La escuela napolitana cobró vida a mediados del siglo XVII. Nacido del empuje creativo de las obras que realizó Caravaggio en dicha cuidad, el arte napolitano siguió su singular camino con la figura del español José de Ribera, quien se había establecido en Nápoles de joven, y fundó una tradición indígena que culminaría a fines del siglo con el arte de Luca Giordano. El Prado guarda una distinguida colección de obras de todos los principales artistas napolitanos, incluso unas delicadísimas composiciones bíblicas y mitológicas de Bernardo Cavallino y unos cuadros excepcionales de Stanzione, cuyo estilo artístico personal siguió evolucionando a lo largo del siglo – apartándose del tenebrismo caravaggista, hacia una forma más luminosa. También hay varias pinturas de Aniello Falcone, discípulo de Ribera, entre ellas la bellísima composición que se titula *El concierto*. De Mattia Preti se exhibe su *Cristo en Gloria con santos*, y de Salvatore Rosa un espléndido paisaje con la *Vista del golfo de Salerno*. Por último, de los numerosos lienzos de Luca Giordano, destacaremos su *Sueño de Salomón*, de maravilloso colorido, con audaces contrastes de luces de brillo metálico.

Entre las piezas de la escuela genovesa cabe mencionar *Moisés y el milagro de la roca* de Gioachino Assereto, que ejerció gran influencia en la pintura española, sobre todo en la obra de Murillo. Asimismo, indiquemos la presencia de *Santa Verónica* por Bernardo Strozzi y una obra fascinante de Giovanni Benedetto Castiglione, *Diógenes buscando un hombre bueno*.

La colección de siglo XVII incluye otras piezas de gran calidad como el *Moisés salvado de las aguas* del periodo inglés de Orazio Gentileschi, y una *Piedad* del pintor lombardo Daniele Crespi. Las pinturas de flores del napolitano Andrea Belvedere son excelentes ejemplos del estilo de los bodegones del periodo. Entre las obras de la escuela florentina, tan estrechamente asociada con España hacia finales del siglo XVI, figura el magnífico *Lot y sus hijas* de Francesco Furini, regalado a Felipe IV por el duque de Toscana quien lo escogió de su propia colección a fin de deleitar el refinado gusto del monarca español.

A pesar del interés de Felipe V por el arte frances, y la afluencia consecuente de pintores franceses a la corte española durante el siglo XVIII, no se cortaron en absoluto las relaciones artísticas con Italia. Aún continuaron las visitas de artistas italianos del calibre de Corrado Giaquinto y Giambattista Tiépolo, y el Prado también guarda obras de algunos de los tardíos seguidores del clasicista Carlo Maratta, que trabajó en Roma durante la primera parte del siglo XVIII. El mejor ejemplo de esta escuela tal vez sea el retrato del *Cardenal Borja* de Andrea Procaccini, que fue nombrado pintor de la corte por Felipe V.

El Prado posee cuadros de dos notables artistas napolitanos del siglo XVIII, Francesco Solimena y Sebastiano Conca, cuyas obras se encargaron para la decoración de los palacios reales aun cuando ellos mismos nunca llegaron a venir a España. Otro pintor napolitano, Corrado Giaquinto, quien colaboró con Conca, fue llamado a Madrid en 1753 por Fernando VI para ejecutar unos encargos importantes para las decoraciones murales del nuevo palacio real, y permaneció en España, llegando a ser Director de la Real Academia de Pintura de San Fernando. El Prado posee una serie importante de sus obras, entre las que destacan los bellísimos bocetos para frescos tales como *Apolo y Baco* (preparatorio para el grandioso esquema decorativo de la escalera del Palacio Real de Madrid). La delicadez rococó de las figuras de Giaquinto, junto con las tonalidades claras y la libertad técnica de su obra tuvieron una influencia importante en el desarrollo de la escuela madrileña de la

segunda mitad del siglo XVIII. Algunos de estos pintores, como Bayeu y Maella, ya habían sido discípulos suyos en Roma; y la influencia del estilo de Giaquinto se refleja hasta en los primeros lienzos de Goya.

La escuela veneciana, junto a la romana, parece haber sido el foco más vital del arte italiano del siglo XVIII. El Museo no posee ninguna obra de Canaletto o Guardi, las figuras principales del 'vedutismo' (en efecto una especie de paisajismo que incorpora vistas de ciudades). No obstante, esta faceta está representada por las vistas romanas de Giovanni Paolo Panini y por una vista de Venecia de Vanvitelli el Viejo. Asimismo, por último, el Museo ha añadido recientemente varios estudios interesantes del palacio de Aranjuez de Francesco Battaglioli, quien se formó en Venecia y trabajó en la corte española desde 1754. Otra adquisición reciente es el paisaje titulado *Cristo servido por los ángeles* de Alessandro Magnasco, figura importante del arte genovés del siglo XVIII.

No obstante, las figuras capitales del arte veneciano del siglo XVIII serán sin duda alguna los Tiépolo. Tanto el padre, Giambattista, como su hijo mayor, Gian Domenico, viajaron extensamente, realizando una prodigiosa cantidad de decoraciones no sólo en su Venecia natal sino también en todas las cortes europeas, tales como las que se encuentran en el Kaisersaal de la residencia del obispo de Würzburg. Acompañado de sus dos hijos, llegó a Madrid, ya viejo, en 1762. En la corte realizó una de sus más bellas creaciones, los frescos del salón del trono del Palacio Real; y el Prado también guarda la soberbia serie de lienzos que pintó para la iglesia de San Pascual de Aranjuez en 1769.

La colección de pintura italiana del siglo XVIII en el Museo del Prado se cierra con tres espléndidos retratos por Pompeo Batoni, entre ellos la magistral efigie de Charles Cecil Roberts, con fecha de 1778

Atribuida a Taddeo Gaddi
Florencia, aprox. 1300 – Florencia, 1366
San Eloy ante el rey Clotario, aprox. 1365
Tabla, 35 × 39 cm
Donada por Don Francisco Cambó en
1940; No. de Catálogo 2841

Giovanni dal Ponte
Florencia, antes de 1376 – Florencia,
1437
Las siete artes liberales, aprox. 1435
Tabla, 56 × 155 cm
Donada por Don Francisco Cambó en
1940; No. de Catálogo 2844

1

2

a Giovanni da Fiésole,
amado **Fra Angelico**
cchio di Mugello (?), aprox. 1400 –
oma, 1455
a Anunciación, aprox. 1430
abla, 194 × 194 cm
rocedente del convento de San Domenico
a Fiésole; vendida y llevada a España en
1611. Entró en el Prado en 1861; No. de
Catálogo 15

Este magnífico retablo, con su imagen
central de la Anunciación y su predella
con otras escenas de la vida de la Virgen,
se considera fundamentalmente como
obra del taller del artista. La imagen
central repite un diseño utilizado por Fra

Angelico en la *Anunciación* de Cortona y
también en la que adorna la parte su-
perior de la escalera que lleva al dormi-
torio de su propio monasterio de San
Marco, en Florencia. La nueva compren-
sión renacentista de la perspectiva ar-
quitectónica va unida con un continuo
deleite medieval en el uso tan pródigo del
fondo dorado.

I

Alessandro Filipepi, llamado Botticelli
Florencia, 1445 – Florencia, 1510
La historia de Nastagio degli Onesti: la visión
de Nastagio de la persecución espectral por el
bosque, 1483
Tabla, 138 × 83 cm
Donada por Don Francisco Cambó en
1940; No. de Catálogo 2838

I

Estas tres tablas, que son excelentes ejemplos del elegante y refinado estilo del Botticelli maduro, ilustran una historia del *Decamerón* de Boccaccio. Nastagio, rechazado por su amada Paola Traversari, pasea solo por el bosque, para descubrir la terrible visión de un caballero y sus perros que persiguen, luego desgarran y después destripan a una mujer desnuda. Él nada puede hacer para impedirlo; y cuando han acabado de desentrañarla, la mujer se vuelve a levantar y la persecución em-

pieza de nuevo. El caballero explica que se suicidó por amor, y que éste es no sólo el castigo suyo sino también el de ella, cuya crueldad motivó el que se diera muerte. Nastagio invita a su propia amada y a sus familiares para que testimonien una representación de la escena, y como consecuencia Paola sucumbe y accede a casarse con él (acto que se muestra en la cuarta tabla de la serie, que se halla actualmente en una colección particular en Suiza).

essandro Filipepi, llamado Botticelli
orencia, 1445 – Florencia, 1510
*a historia de Nastagio degli Onesti: el
stripamiento de la perseguida,* 1483
bla, 138 × 83 cm
nada por Don Francisco Cambó en
40; No. de Catálogo 2839

3

Alessandro Filipepi, llamado Botticelli
Florencia, 1445 – Florencia, 1510
*La historia de Nastagio degli Onesti: Nastagio
prepara un banquete en que reaparecen los
fantasmas,* 1483
Tabla, 138 × 83 cm
Donada por Don Francisco Cambó en
1940; No. de Catálogo 2840

2

3

Antonello da Messina
Messina, aprox. 1430 – Messina, 1479
Cristo muerto sostenido por un ángel, aprox.
1475/78
Tabla, 74 × 51 cm
Adquirida en 1965; No. de Catálogo 3092

Andrea Mantegna
Isola di Caturo, aprox. 1430 – Mantua,
1506
La muerte de la Virgen, aprox. 1461
Tabla, 54 × 42 cm
Procedente de una capilla del palacio
ducal de Mantua (?); adquirida por parte
de Carlos I de Inglaterra y después, en

1649, de su colección por parte de Felipe
IV de España; No. de Catálogo 248

En una habitación encuadrada por pilas-
tras sombrías, pero abierta a una vista del
lago de Mantua, los apostoles rodean el
lecho de la Virgen moribunda. La habi-
lísma perspectiva se coordina perfecta-

mente con las figuras escrupulosamente
trazadas y coloreadas. El efecto total es
severo, pero de una dignidad viva y conmovedora. Debidamente considerada
como obra maestra del temprano Renacimiento, se singulariza por su detallado
naturalismo, radiante claridad y solidez de
espíritu.

I
Bernardino Luini
Luino, aprox. 1480/90 – Milán, 1532
La Sagrada Familia con Niño San Juan
Tabla, 100 × 84 cm
Colección de Felipe II; No. de Catálogo
242

ael (Raffaello Sanzio)

ino, 1483 – Roma, 1520

Virgen del pez (La Virgen con el arcángel
Rafael y San Jerónimo), aprox. 1514

la pasada a lienzo, 215 × 158 cm

galada a Felipe IV en 1645 por el

que de Medina de las Torres; No. de

álogo 297

ael (Raffaello Sanzio)

ino, 1483 – Roma, 1520

Sagrada Familia del cordero, 1507

la, 29 × 21 cm

maba parte de la colección real en el

o XVIII; No. de Catálogo 296

a pequeña obra – concebida para la
oción privada – pertenece al periodo
rentino de Rafael, después de su tras-
o desde Umbría y antes de que llegase a
ma. En aquel tiempo le atraía sobre
o el estilo de Leonardo, y de otros
istas como el joven Miguel Ángel. No
stante, la delicada minuciosidad y
enidad de esta pieza recuerdan su
mación en el taller del famoso
rugino. Asimismo, hay ciertos rasgos
e reflejan su conocimiento de la pintura
menca, particularmente en el paisaje.

ael (Raffaello Sanzio)

ino, 1483 – Roma, 1520

Spasimo di Sicilia (Caída en el camino del
vario), 1517

la pasada a lienzo, 318 × 229 cm

ocedente de la iglesia de Santa María
lo Spasimo, cerca de Palermo; colec-
n de Felipe IV; No. de Catálogo 298

a obra, transportada desde Roma, lleva
ombre de la iglesia siciliana para la
al fue encargada. La iglesia fue dedi-
a a la congoja y agonía ('spasimo')
perimentada por la Virgen al con-
nplar el sufrimiento de Cristo; y el
téntico tema del retablo es la mirada
tua de Cristo – quien tropieza por el
o de la cruz – y su madre angustiada,
e en vano le extiende los brazos.

4

Rafael (Raffaello Sanzio)
Urbino, 1483 – Roma, 1520
Retrato de un Cardenal, aprox. 1510/12
Tabla, 79 × 61 cm
Colección de Carlos IV; No. de Catálogo
299

Andrea del Sarto
Florencia, 1486 – Florencia, 1530
Lucrezia di Baccio del Fede, esposa del artista,
aprox. 1513/14
Tabla, 73 × 56 cm
Formaba parte de la colección en el siglo
XVIII; No. de Catálogo 332

1

1
Andrea del Sarto
Florencia, 1486 – Florencia, 1530
Asunto místico, aprox. 1522/23
Tabla, 177 × 135 cm
Adquirida por Felipe IV en la venta de la colección de Carlos I de Inglaterra en 1649; No. de Catálogo 334

2
Agnolo di Cosimo Mariano, llamado Bronzino
Florencia, 1503 – Florencia, 1572
Don García de Médicis (?), aprox. 1550
Tabla, 42 × 38 cm
Colección real; No. de Catálogo 5

3
Antonio Allegri, llamado Correggio
Correggio, 1489 – Correggio, 1534
Noli me tangere, aprox. 1534
Tabla pasada a lienzo, 130 × 103 cm
Regalada por el Duque de Medina de las Torres, quien la envía a El Escorial. Entró en el Museo en 1839; No. de Catálogo III

Correggio – pasando por alto las tentaciones de Roma, Florencia, y Venecia – trabajó en la ciudad de Parma, en el norte de Italia, manteniendo su originalidad a lo largo del alto Renacimiento para convertirse en uno de los precursores más significativos de la pintura barroca del siglo XVII. No obstante, es indudable que se abrió sobre todo a la influencia de Rafael y Leonardo: su percepción del ideal de belleza y la estructuración de sus composiciones deben mucho a Rafael, mientras que su manejo de las texturas y la luz presupone a Leonardo. Aquí, utiliza la clásica composición piramidal del alto Renacimiento junto con un movimiento diagonal que anticipa el barroco. El exquisito paisaje evoca la luz del alba, cuando María Magdalena encontró a Cristo cerca de la tumba.

2

3

1
Francesco Mazzola, llamado Parmigianino
Parma, 1503 – Casalmaggiore, 1540
La Sagrada Familia (Descanso en la huida a
Egipto), 1524
Tabla, 110 × 89 cm
Colección real; No. de Catálogo 283

2
Federico Fiori, llamado Barocci
Urbino, 1535 – Urbino, 1612
La adoración del Niño, 1597
Lienzo, 134 × 105 cm
Regalado a la reina Margarita de
Austria, esposa de Felipe III, por el duque
de Urbino; No. de Catálogo 18

3
Giovanni Bellini
Venecia, aprox. 1430 – Venecia, 1516
La Virgen y el Niño con dos santas, aprox.
1490
Tabla, 77 × 104 cm
Colección de Felipe IV; No. de Catálogo 50

4
Atribuido a Giorgione de Castelfranco
Nacido en Castelfranco Veneto (?); muerto
1510 en Venecia
La Virgen con el Niño entre San Antonio de
Padua y San Roque
Lienzo, 92 × 133 cm
Regalado a Felipe IV por el duque de
Medina de las Torres; No. de Catálogo 288

1

2

3

4

I

Tiziano (Tiziano Vecellio)
Pieve di Cadore, aprox. 1488/90 –
Venecia, 1576
Bacanal, aprox. 1525
Lienzo, 175 × 193 cm
Procedente del castillo de Ferrara;
regalado a Felipe IV por Nicolás
Ludovisi; No. de Catálogo 418

La última de una magnífica serie
ejecutada para Alfonso d'Este, duque
de Ferrara; otra, *Ofrenda a Venus*,
también se encuentra en el Prado; mas
la tercera, *Baco y Ariadna*, se halla en
la National Gallery de Londres. Los
temas proceden de unas descripciones
clásicas de ciertas obras de arte. Aquí,
Tiziano reproduce un cuadro visto en
Nápoles por el sofista Filostrato en el
siglo II – pieza que representaba a los
habitantes de la isla griega de Andros
regocijándose en el río de vino creado
por Dionisio. Tiziano se aprovechó al
máximo de esta oportunidad tan
espléndida de emular el pasado, y el
brillante naturalismo y maravilloso
colorido del lienzo revelan calidades
equiparables con las de Apeles.

2

Tiziano (Tiziano Vecellio)
Pieve di Cadore, aprox. 1488/90 –
Venecia, 1576
Ofrenda a Venus, 1519
Lienzo, 172 × 175 cm
Procedente del castillo de Ferrara;
regalado a Felipe IV por Nicolás
Ludovisi.
No. de Catálogo 419

ziano (Tiziano Vecellio)
eve di Cadore, aprox. 1488/90 –
necia, 1576
emperador Carlos V en Mühlberg, 1548
enzo, 332 × 279 cm
lección de Carlos V; No. de Catálogo
o

Éste es uno de los retratos más dramáticos y monumentales de los realizados por el artista, y comunica no tanto la personalidad del sujeto sino los altos ideales de su destino imperial. En la batalla de Mühlberg el emperador había derrotado a los príncipes luteranos, y Tiziano le representa como el arquetípico caballero cristiano, vencedor de la herejía – en efecto una especie de San Jorge moderno. Junto con la soberbia creación de una imagen memorable, Tiziano también demuestra su hábil destreza en lo que se refiere a las texturas, tal como la difusión del crepúsculo a través del paisaje y el brillo seductor de la armadura.

1

3

ziano (Tiziano Vecellio)
eve di Cadore, aprox. 1488/90 –
necia, 1576
derico Gonzaga, duque de Mantua, aprox.
525/30
bla, 125 × 99 cm
lección de Felipe IV; No. de Catálogo
8

ziano (Tiziano Vecellio)
eve di Cadore, aprox. 1488/90 –
necia, 1576
lipe II, 1551
enzo, 193 × 111 cm
lección de Felipe II; No. de Catálogo
I

ziano (Tiziano Vecellio)
eve di Cadore, aprox. 1488/90 –
necia, 1576
nus y Adonis, 1554
enzo, 186 × 207 cm
lección de Felipe II; No. de Catálogo
2

ziano (Tiziano Vecellio)
eve di Cadore, aprox. 1488/90 –
necia, 1576
Gloria, aprox. 1553/54
enzo, 346 × 240 cm
lección de Carlos V; No. de Catálogo
2

ziano (Tiziano Vecellio)
eve di Cadore, aprox. 1488/90 –
necia, 1576
nus recreándose con el amor y la música,
45
enzo, 148 × 217 cm
galado a Felipe III por el emperador
dolfo II (?); No. de Catálogo 421

ziano (Tiziano Vecellio)
eve di Cadore, aprox. 1488/90 –
necia, 1576
nae recibiendo la lluvia de oro, 1553
enzo, 129 × 180 cm
lección de Felipe II; No. de Catálogo
5

5

6

1

Lorenzo Lotto
Venecia, aprox. 1480 – Loreto, 1556
Micer Marsilio y su esposa, 1523
Lienzo, 71 × 84 cm
Colección de Felipe IV; No. de Catálogo
240

2

**Sebastiano Luciani, llamado Sebastiano
del Piombo**
Venecia, aprox. 1485 – Roma, 1547
Cristo en el camino del Calvario, aprox.
1528/30
Lienzo, 121 × 100 cm
Formaba parte de la colección real en el
siglo XVI; No. de Catálogo 345

3
Paolo Caliari, llamado Veronese
Verona, 1528 – Venecia, 1588
La disputa de Jesús con los doctores en el
templo, 1558 (?)
Lienzo, 236 × 430 cm
Colección de Felipe IV; No. de Catálogo
491

4
Paolo Caliari, llamado Veronese
Verona, 1528 – Venecia, 1588
Venus y Adonis, aprox. 1580
Lienzo, 212 × 191 cm
Colección de Felipe IV; No. de Catálogo
482

3

4

Paolo Caliari, llamado Veronese
Verona, 1528 – Venecia, 1588
El hallazgo de Moisés, aprox. 1580
Lienzo, 50 × 43 cm
Colección de Felipe IV; No. de Catálogo
502

Esta exquisita obra del Veronese maduro
demuestra toda la elegancia y refinamiento por los que el pintor fue tan célebre, y sobre todo el soberbio colorido – en
las brillantes sedas de las mujeres y el fondo
plateado. Los maravillosos efectos de lumino-
sidad se logran por la delicada y sútil
yuxtaposición de frío y calor, claro y oscuro.

opo Robusti, llamado Tintoretto
ecia, 1519 – Venecia, 1594
avatorio, aprox. 1547
zo, 210 × 533 cm
ección de Felipe IV. Adquirido en
dres en 1649 de la colección de Carlos
Inglaterra; No. de Catálogo 2824.
upuso durante largo tiempo que esta
a fue pintada para la iglesia de San

Marcuola de Venecia, pero la copia que aun adorna la iglesia concuerda más con otra versión del mismo tema que hoy día se encuentra en Newcastle. Sin embargo, no cabe la menor duda en cuanto a la autoría del lienzo que exhibe el Prado, y podemos decir con certeza que se habrá realizado durante el mismo periodo.

Típica de Tintoretto a lo largo de toda su carrera es su dramática escenografía, con las largas vistas diagonales que sirven para transformar los acontecimientos humildes en visiones apocalípticas. No obstante, emplea un brillante y suntuoso colorido, y un modelado firme, mientras que el espacio parece amplio y dilatado y la luz fija y diáfana – indicación de que Tintoretto ejecutase la obra a principios de su carrera.

opo Robusti, llamado Tintoretto
ecia, 1519 – Venecia, 1594
rato de un general veneciano, aprox.
70/75
zo, 82 × 67 cm
galado a Felipe IV por el marqués de
anés; No. de Catálogo 366

3
Jacopo Robusti, llamado Tintoretto
Venecia, 1519 – Venecia, 1594
La dama que descubre el seno, aprox. 1570
Lienzo, 61 × 55 cm
Colección real; No. de Catálogo 382

1

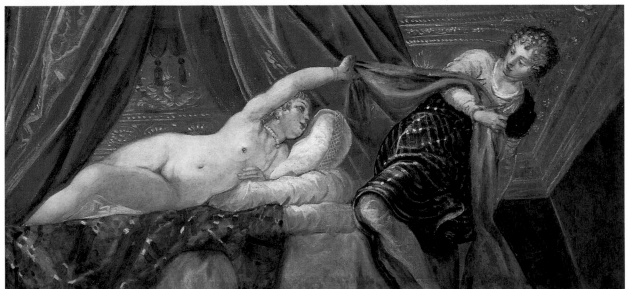

2

3

4

3
Jacopo da Ponte, llamado Jacopo Bassano
Dal Ponte, aprox. 1510 – Bassano, 1592
Entrada de los animales en el Arca de Noé,
Lienzo, 207 × 265 cm
Colección real; No. de Catálogo 22

4
Jacopo da Ponte, llamado Jacopo Bassano,
o (su hijo) Francesco da Ponte, llamado
Francesco Bassano
Dal Ponte, aprox. 1510 – Bassano, 1592
La adoración de los pastores
Lienzo, 128 × 104 cm
Formaba parte de la colección de Isabel de
Farnesio en 1746; No. de Catálogo 26

Giovanni Battista Moroni
Albino, aprox. 1523 – Bérgamo, 1578
Retrato de un militar, aprox. 1555/59
Lienzo, 119 × 91 cm
Colección de Felipe IV (?); No. de Catálogo
262

Michelangelo Merisi, llamado Caravaggio
Caravaggio, aprox. 1570/71 – Porto
Ercole, 1610
David victorioso, aprox. 1599/1600
Lienzo, 110 × 91 cm
Formaba parte de la colecciòn real en el
siglo XVIII; No. de Catálogo 65

Caravaggio es de una importancia especial en España, ya que fue responsable
de originar el estilo de pintura realista y
'tenebrista' que luego gozó de tanta
difusión y popularidad en las obras de
artistas como Ribera y Zurbarán. Esta
obra madura revela los fundamentos de
su arte: una enfática solidez creada por el
recio contraste de sombra y luz; la calidad

inmediata conseguida a fuerza de situar la
acción en primer plano, así como por
la eliminación de todo el espacio a su
alrededor (un pintor convencional
hubiera dejado sitio para que David se
pusiera de pie, por decirlo así); y la supre-
sión de todo tipo de adorno – de colorido o
posturas elegantes – a fin de concentrar la
atención únicamente sobre el drama.

155

1
Massimo Stanzione
Orta di Antilla, 1585 – Nápoles, 1656
La degollación de San Juan Bautista, aprox.
1634
Lienzo, 184 × 258 cm
Colección de Felipe IV (?); No. de Catálogo
258

2
Aniello Falcone
Nápoles, 1607 – Nápoles, 1656
El concierto
Lienzo, 109 × 127 cm
Formaba parte de la colección real en el
siglo XVIII; No. de Catálogo 87

3
Guido Reni
Bolonia, 1575 – Bolonia, 1642
Hipómenes y Atalanta, aprox. 1612
Lienzo, 206 × 297 cm
Colección de Felipe IV; No. de Catálogo
3090

4
Simone Cantarini
Pesaro, 1612 – Pesaro, 1648
La Sagrada Familia
Lienzo, 72 × 55 cm
Colección de Carlos IV; No. de Catálogo
63

I

2

3

4

1
Mattia Preti
Taverna Calabria, 1613 – La Valleta,
1699
Cristo en Gloria con santos, aprox. 1660
Lienzo, 220 × 253 cm
Adquirido en 1969; No. de Catálogo 3146

2
Paolo Porpora
Nápoles, 1617 – Nápoles, 1673
Florero
Lienzo, 77 × 65 cm
Colección de Felipe IV (?); No. de Catálogo
569

3
Orazio Gentileschi
Pisa, 1563 – Londres, 1639
Moisés salvado de las aguas, aprox.
1630/33
Lienzo, 242 × 281 cm
Colección de Felipe IV; No. de Catálogo
147

4
Francesco Albani
Bolonia, 1578 – Bolonia, 1660
El tocador de Venus, 1633
Lienzo, 114 × 171 cm
Colección de Felipe IV; No. de Catálogo 1

1

2

3

4

1
Annibale Carracci
Bolonia, 1560 – Roma, 1609
La Asunción de la Virgen, aprox. 1590
Lienzo, 130 × 97 cm
Regalado a Felipe IV por el conde de
Monterrey. Entró en el Prado en 1839;
No. de Catálogo 75

2
Annibale Carracci
Bolonia, 1560 – Roma, 1609
Paisaje, aprox. 1602
Lienzo, 47 × 59 cm
Formaba parte de la colección de Felipe V
en 1746; No. de Catálogo 132

3
Guido Reni
Bolonia, 1575 – Bolonia, 1642
Joven con una rosa
Lienzo, 81 × 62 cm
Colección de Felipe IV; No. de Catálogo
218

4
Giovanni Francesco Barbieri, llamado
Guercino
Canto, 1591 – Bolonia, 1666
María Magdalena en el desierto
Lienzo, 121 × 102 cm
Formaba parte de la colección de Isabel de
Farnesio en 1746; No. de Catálogo 203

5
Domenico Zampieri, llamado
Domenichino
Bolonia, 1581 – Nápoles, 1641
El sacrificio de Isaac
Lienzo, 147 × 140 cm
Colección de Felipe IV; No. de Catálogo
131

1

2

I

3

aniele Crespi
•sto Arsizio, 1597 – Milán, 1630
Piedad, aprox. 1626
•nzo, 175 × 114 cm
•lección de Carlos II. Adquirido en 1689
la colección de marqués del Carpio; No.
Catálogo 128

•ancesco Furini
•orencia, 1600 – Florencia, 1646
t y sus hijas
•nzo, 123 × 120 cm
•galado a Felipe IV por el duque de
•scana; No. de Catálogo 144

•ntonio Zanchi
•te, 1631 – Venecia, 1722
• penitencia de María Magdalena
•nzo, 112 × 95 cm
•nado en 1915 por Don Pablo Bosch;
•. de Catálogo 2711

•rnardo Strozzi
•nova, 1581 – Venecia, 1644
•nta Verónica, aprox. 1625/30
•nzo, 168 × 118 cm
•rmaba parte de la colección de Isabel de
•rnesio en 1746; No. de Catálogo 354

•oachino Assereto
•nova, 1600 – Génova, 1649
•oisés y el milagro de la roca
•nzo, 245 × 300 cm
•rmaba parte de la colección de Isabel de
•rnesio en 1746; No. de Catálogo 1134

•ovanni Benedetto Castiglione
•nova, 1610 – Mantua, 1670
•ógenes buscando un hombre bueno
•nzo, 97 × 145 cm
•dquirido de la colección de Carlo
•aratta. Formaba parte de la colección de
•lipe V en 1746; No. de Catálogo 88

5

6

1
Domenico Zampieri, llamado
Domenichino
Bolonia, 1581 – Nápoles, 1641
Arco triunfal, aprox. 1607/10
Lienzo, 70 × 60 cm
Adquirido de la colección de Carlo
Maratta. Formaba parte de la colección de
Felipe IV en 1746; No. de Catálogo 540

2
Salvatore Rosa
Nápoles, 1615 – Nápoles, 1673
Vista del golfo de Salerno, aprox. 1640/45
Lienzo, 170 × 260 cm
Formaba parte de la colección real en el
siglo XVIII; No. de Catálogo 324

3
Viviano Codazzi
Bérgamo, 1604 – Roma, 1670
San Pedro de Roma, con el obelisco y parte
del palacio de Vaticano, aprox. 1630
Lienzo, 168 × 220 cm
Colección de Felipe IV; No. de Catálogo
510

I

4

3

4

4
Andrea Procaccini
Roma, 1671 – La Granja, 1734
El Cardenal Borja, aprox. 1721
Lienzo, 245 × 174 cm
Legado por el conde de la Cimera en
1944; No. de Catálogo 2882

A través del siglo XVIII hubo numerosos
pintores italianos empleados por patrones
españoles, y cantidad de ellos trabajaron
durante toda su vida en España. Por consiguiente, existe un immenso conjunto de
lienzos italianos de aquella época, e
incluso pinturas murales, en las residencias reales. Andrea Procaccini llegó a ser
no sólo pintor de la corte sino también
consejero artístico al servicio del primero
de los reyes borbónicos españoles, Felipe
V, y sugirió la adquisición de muchas de
las obras actualmente en el Prado y el
Palacio Real.

1

1
Luca Giordano
Nápoles, 1634 – Nápoles, 1705
Sueño de Salomón, aprox. 1693
Lienzo, 245 × 361 cm
Colección de Carlos II de España; No. de
Catálogo 3179

Luca Giordano fue uno de los pintores
más significativos del barroco tardío,
practicando un estilo heroico y monumental combinado con colores decorativos. Invitado a España en 1692 por
Carlos II, no tardó en establecerse como
pintor principal de la corte española. Entre
los cuadros que realizó para la monarquía, destaca la magnífica serie de his-
torias bíblicas de Salomón y David –
actualmente divididas entre el Prado y el
Palacio Real de Madrid.

2
Sebastiano Conca
Gaeta, 1680 – Gaeta, 1764
La idolatría de Salomón, aprox. 1735
Lienzo, 54 × 71 cm
Colección de Felipe V (?); No. de Catálogo
102

3
Corrado Giaquinto
Molfetta, 1703 – Nápoles, 1766
Apolo y Baco, aprox. 1761
Lienzo, 168 × 140 cm
Colección de Carlos III; No. de Catálogo
103

2

3

Alessandro Magnasco
Génova, 1677 – Génova, 1749
Cristo servido por los ángeles, aprox.
1725/30
Lienzo, 193 × 142 cm
Adquirido en 1967; No. de Catálogo 3124

1

Gaspard van Wittel, llamado Gasparo Vanvitelli
Amersfoort, 1653 – Roma, 1736
Vista de la Piazzetta, Venecia, desde San Giorgio, 1697
Lienzo, 98 × 174 cm
Formaba parte de la colección de Isabel de Farnesio en 1746; No. de Catálogo 475

2

Francesco Battaglioli
Modena, aprox. 1725 – Venecia, aprox. 1790
El palacio de Aranjuez, 1756
Lienzo, 86 × 112 cm
Adquirido en 1979; No. de Catálogo 4180

1

2

1
Giambattista Tiépolo
Venecia, 1696 – Madrid, 1770
Dos fragmentos de un retablo, *La visión de San Pascual Baylón: el ángel portador de la Eucaristía*, 1769
Lienzo, 185 × 188 cm y 153 × 112 cm
Colección de Carlos III; No. de Catálogo 364

Según la inscripción que lleva la estampa publicada por su hijo (exhibida al lado de los fragmentos), Tiépolo pintó el retablo en 1770, con lo que debería haber sido su última obra. Sin embargo, en una carta de 1769, Tiépolo mismo habla de haberla terminado. Había llegado a España en 1762, a fin de concluir la decoración del palacio real de Madrid para Carlos III. En 1767 escribió con las noticias de que la decoración se había llevado a cabo y para pedir más trabajo. A pesar de la oposición de ciertos miembros de la corte, recibió el encargo de ejecutar una serie de siete cuadros para la nueva iglesia de San Pascual Baylón – de la cual éste es uno. Mas los gustos contemporáneos iban en contra del tardío estilo barroco del viejo maestro, y apenas acabados los lienzos fueron arrancados y sustituidos por obras del nuevo estilo neoclásico de Mengs y otros.

2
Giambattista Tiépolo
Venecia, 1696 – Madrid, 1770
La continencia de Escipión, aprox. 1722/23
Lienzo, 250 × 500 cm
Adquirido en 1975; No. de Catálogo 3243

3
Giuseppe Bonito
Castellamare di Stabia, 1701 – Nápoles, 1789
El embajador turco a la corte de Nápoles, rodeado de su séquito, 1741
Lienzo, 207 × 170 cm
Formaba parte de la colección de Isabel de Farnesio en 1746; No. de Catálogo 54

1

2

3

4

5

4
Gian Domenico Tiépolo
Venecia, 1727 – Venecia, 1804
Caída en el camino del Calvario, 1772
Lienzo, 124 × 144 cm
Procedente de la iglesia de San Felipe Neri
de Madrid. Entró en el Museo de la
Trinidad en 1836, y posteriormente en el
Prado; No. de Catálogo 358

5
Pompeo Batoni
Luca, 1708 – Roma, 1787
Charles Cecil Roberts, 1778
Lienzo, 221 × 157 cm
Ya parte de la colección real en el siglo
XVIII; No. de Catálogo 49

La Pintura Flamenca

Junto con las colecciones de pintura española e italiana, la colección flamenca ocupa un puesto de distinción en el Prado. Las obras más primitivas de la colección proceden no sólo de Flandes sino de Holanda también, dado que en realidad no se llegan a diferenciar las escuelas flamencas y holandesas hasta los umbrales del siglo XVII. No obstante, a partir de entonces, debido a la autonomía política y estética que se instituye en aquellas regiones que tomaron el nombre de Holanda, el retrato holandes siguió un camino desafiantemente independiente.

España, a causa de su peculiar historia, siempre se ha reconocido por su fabulosa riqueza en arte flamenco, especialmente en lo que se refiere a pintura y tapicería, desde los artistas primitivos del siglo XV hasta el apogeo del barroco. Esta herencia puede admirarse en palacios reales, catedrales y monasterios, así como en colecciones públicas y particulares por toda la Península Ibérica. El Museo del Prado, con su amplio e impresionante cúmulo de piezas flamencas, que comprende obras maestras tanto como de rango menor, exhibe el esplendor de este legado de manera excepcional.

Durante la primera parte de la Edad Media, la Península Ibérica mantuvo unas relaciones muy estrechas con los países del mar del norte y sobre todo con Flandes. Estos contactos se engendraron y afirmaron a través de un activo comercio con Castilla, y esto vino a producir colaboración política que a su vez culminó en alianzas matrimoniales contraídas durante el reino de los Reyes Católicos. El duque de Borgoña y príncipe de Flandes, Felipe el Hermoso, hijo del emperador Maximiliano de Austria y de María de Borgia, se casó con la infanta Juana la Loca, hija de los soberanos españoles y más tarde heredera de sus estados; mientras que Don Juan, el príncipe de Asturias, presunto sucesor de sus padres en Castilla y Aragón, se casó con Margarita de Borgoña, la hermana de Felipe. Por diversas razones históricas así como azares de familia, esta fabulosa herencia territorial recaería íntegramente en el hijo mayor de la primera pareja, Carlos de Gante, que sería a partir de 1517 Carlos I de España y desde 1519 Carlos V, emperador del Sacro Imperio.

Como resultado de los numerosos contactos entre el mundo español y el flamenco, que duraron hasta 1700, no es de extrañar la interdependencia de las esferas creativas. Artistas flamencos tales como Van Eyck y Rubens visitaron la Península, del mismo modo que pintores españoles como Dalmau y Sánchez Coello viajaron a las tierras del norte. El factor fundamental que sirvió para reforzar los enlaces artísticos entre ambas regiones y que a la vez tuvo el má-ximo influjo en la tradición pictórica española fue la enorme cantidad de cuadros adquiridos de los Países Bajos que entraron en los diversos sectores sociales – la iglesia, la aristocracia, y la clase mercantil – muchos encargados específicamente para decorar palacios, santuarios y residencias y otros simplemente comprados en el mercado de arte.

Las convulsiones sociales y religiosas que ocurrieron en los Países Bajos durante la segunda mitad del siglo XVI y la Guerra de Independencia que tuvo lugar en las provincias del norte, persistiendo a lo largo de casi todo el siglo XVII (con la notable excepción de la Tregua de los Doce Años), culminaron en la Guerra de los Treinta Años, que acabó con la Paz de Westfalia de 1648 en la cual se reconoció la autonomía total de Holanda. Por consiguiente, a partir del final del siglos XVI, se puede hablar por primera vez de dos escuelas claramente distintas, la flamenca y la holandesa.

Fue durante el reinado de Felipe II que empezó la gran afluencia de obras maestras flamencas de los siglos XV y XVI, y el rey encargó la adquisición de numerosas obras de diversas escuelas. Entre los obsequios que recibió cuenta una tabla atribuida a Gossaert (aunque algunos críticos sospechan la mano de Van Orley), titulada *La Virgen de Lovaina*, que la ciudad le regaló en 1588 como muestra de gratitud por haberles socorrido durante la peste diez años antes.

Gracias a Felipe II el Prado posee la colección de obras de El Bosco más importante del mundo. En efecto, esto lo logró el soberano esperando pacientemente para comprar una tras otra las tablas del maestro tan pronto como aparecían. Así, *La piedra de la locura* y *La mesa de los Pecados Capitales* se obtuvieron en 1560 de los sucesores de Don Felipe de Guevara, y el incomparable *Jardín de las Delicias* – el famoso y enigmático tríptico que es obra cumbre del arte simbólico – fue adquirido en la venta de los bienes de un hijo natural del duque de Alba. A este conjunto se añadieron dos trípticos más, *La adoración de los Magos* y *El carro de heno*, así como una obra tardía, *Las Tentaciones de San Antonio*.

Durante el siglo XVII la monarquía española mantuvo estrechos contactos culturales con el mundo flamenco. Éstos fueron intensificados por la constante intervención política de España y los intereses personales de los monarcas y príncipes españoles, tales como Felipe IV y los archiduques gobernadores Isabel Clara Eugenia y Alberto de Austria. Entre todos encargaron gran cantidad de obras a los pintores flamencos. Los más poderosos y opulentos de entre la iglesia y aristocracia procuraron conseguir obras de Rubens, quien había establecido un amplio taller, el cual influyó no sólo en el desarrollo de la propia escuela flamenca sino que también afectó el curso del barroco europeo. Como resultado de este patrocinio, la colección de sus obras en el Prado es extensísima y de una calidad excepcional. Lo mismo puede decirse de sus colaboradores, seguidores y alumnos, así como de otros pintores influidos por su personalidad y manera artística.

El deseo de decorar los palacios, las residencias y los centros religiosos de la Casa de Austria con pinturas de ese origen dio lugar a un continuo torrente de obras importadas que seguiría sin interrupción durante muchos años. Entre sus autores más significativos destaca Rubens, por supuesto, y después Van Dyck y Jordaens. El arte de este periodo puede admirarse por la desbordante riqueza de los grandes bodegones, los brillantes y remotos paisajes, la espectacularidad de las composiciones religiosas, los grandes acontecimientos históricos, así como la grandiosidad de la mitología clásica y las alegorías, la pompa de los retratos con su profunda penetración psicológica, la gracia y elegancia de los cuadros de género, y la decorativa vivacidad de la pintura de animales.

Rubens estuvo en España en dos ocasiones. La primera vez fue en 1603 durante el reinado de Felipe III, visita en que firmó un contrato con la corte madrileña para ejecutar la serie de tablas conocidas como *El apostolado* para el duque de Lerma. Años más tarde, en 1628, cuando reinaba Felipe IV, el artista regresó en la plenitud de su madurez y realizó comisiones para el monarca – como *Felipe IV a caballo*. Asimismo, Rubens y su taller ejecutaron gran número de lienzos para la corte española, aunque a veces resulta difícil juzgar en qué medida contribuyó Rubens mismo a dichas obras.

La corona adquirió numerosas obras en la testamentaría del pintor, después de su muerte en 1640. Dichas obras incluyen *La cena en Emaús*, *La lucha de San Jorge con el dragón* y *Danza de aldeanos*. Rubens también recibió el encargo de decorar la Torre de la Parada, pabellón de caza de El Pardo, y produjo obras notables como *El rapto de Deidamia*, *Heráclito* y *Orfeo y Eurídice*. Preparó, además, muchos de los bocetos para este ambicioso proyecto decorativo, aunque gran parte de ellos serían llevados a cabo por discípulos del orden de Cossiers, Symons y Jordaens. Rubens colaboró muy directamente con estos y otros pintores en diversas obras; entre las que exhibe el Prado son *Aquiles descubierto*, realizada con Van Dyck, *Ceres y dos ninfas* con Snyders, y *Acto de devoción de Rodolfo I de Habsburgo* con Jan Wildens. Es muy apropiado que el Prado también guarde la última obra que debió ejecutar Rubens antes de morirse, tratándose de *Perseo y Andrómeda*, la cual, al ser dejada sin acabar, fue completada magistralmente por Jordaens.

A tan extensa colección Felipe IV añadió muchas escenas de caza por Paul de Vos y Snyders, así como unas exquisitas obras de Jan Brueghel 'el aterciopelado'. Entre sus adiciones más sobresalientes pueden contarse la serie de Brueghel que representa *Los cinco sentidos*, regalada por el duque de Medina de las Torres, varias obras de Van Dyck incluso los dos retratos *El Cardenal-infante* y *Martin Ryckaert*, escenas religiosas como *San Jerónimo*, *La corona de espinas* y *El Prendimiento* (estas tres procedentes de la almoneda del estudio de Rubens), y otras muchas obras importantes de Rombouts, Teniers, Crayer, Jordaens, y los Brueghel.

Durante el reinado de Carlos II, las colecciones reales siguieron ampliándose. Fue durante este periodo que se adquirieron las preciosas tablas con los bocetos para los cartones de tapicería, de los cuales dos son de Rubens, y *La Sagrada Familia*, que fueron de la colección del marqués del Carpio, así como *El Niño Jesús con San Juan* de Van Dyck.

A lo largo del siglo siguiente Felipe V y sobre todo su esposa Isabel de Farnesio, coleccionaron con gran interés y mucho éxito. La reina adquirió el mencionado *Apostolado* de Rubens y varias obras de Van Dyck, entre ellas *San Francisco* y *Los desposorios de Santa Catalina*. Adquirió, además, el famoso *Autorretrato con Sir Endymion Porter*, junto con obras fundamentales de Jordaens, Arthois, Snayers, Teniers, Bril, y los Brueghel.

Carlos III efectuó unas adquisiciones muy limitadas y fue su hijo, Carlos IV, quien acumuló las nuevas obras interesantes para la colección, tales como las de Bloemen, Seghers, Teniers, Van Kessel el Viejo, Brueghel, y Craesbeeck. Numerosas composiciones se perdieron en el curso de la invasión francesa, algunas llevadas por José Bonaparte quien perdió bastantes en la batalla de Vitoria (se hallan unas cuantas en el Wellington Museum de Londres), mientras que otras se vendieron en Inglaterra y Estados Unidos a mediados del siglo XIX.

Desde la fundación del Prado en 1819 la escuela flamenca ha tenido algunas aportaciones importantes. En 1865 el conde Hugo donó el *Tríptico de los animales* de Van Kessel el Viejo, y en 1889 la duquesa de Pastrana, entre otras piezas, los bocetos de Rubens para la Torre de la Parada. El magnífico legado de Pablo Bosch aportó varias adiciones valiosas: *La Sagrada Familia* de Van Orley, el exquisito *Descanso en la fuga a Egipto* de Gerard David, y la singular *Cabeza de un arquero* de El Bosco. En 1928 se adquirió el *Retrato de familia* de Van Kessel el Joven, y en 1930, gracias al legado Fernández Durán, entró la gran serie de cobres con temas religiosos de Francken, así como dos cobres con temas militares de Meulener. Asimismo, deben mencionarse dos adquisiciones más recientes: el retrato ecuestre del *Duque de Lerma* de Rubens, en 1969, y una *Piedad* de Jordaens, en 1981.

Así pues, el Prado puede ofrecer al visitante una espléndida y comprensiva representación del arte flamenco en todas sus distintas etapas de desarrollo, desde el gótico hasta el barroco. De esta manera, refleja la entera variedad y riqueza artística de una escuela nacional verdaderamente extraordinaria.

Atribuida a Robert Campin
Tournai, aprox. 1378/79 – Tournai, 1444
Portezuela izquierda del retablo de Werl,
con *San Juan Bautista y el donanate,*
Heinrich von Werl, 1438
Tabla, 101 × 47 cm
Colección de Carlos IV. Entró en el Prado
en 1827; No. de Catálogo 1513

Atribuida a Robert Campin
Tournai, aprox. 1378/79 – Tournai,
1444
Portezuela derecha del retablo de Werl,
con *Santa Bárbara,* 1438
Tabla, 101 × 47 cm
Colección de Carlos IV. Entró en el Prado
en 1827; No. de Catálogo 1514

Ambas portezuelas pertenecían a un
tríptico cuya tabla central se ha perdido.
Aunque durante largo tiempo se consi-
derase como obra auténtica de Robert
Campin, maestro de Rogier van der
Weyden, el retablo ahora se cree la
imitación de uno de sus seguidores. El
banco en que está sentada Santa Bárbara
y la perspectiva de la habitación entera

proceden de *La Anunciación* de Campin actualmente en The Cloisters, Nueva York; y hasta la toalla blanca y el aguamanil, símbolos de la castidad de la Virgen, son copiados, aunque éstos no sean los atributos de Santa Bárbara. El atributo de ella es la torre en que fue prisionera, que se ve desde la ventana – detalle típico de la racionalización natu-

ralista de símbolos abstractos tan favorecida por los primitivos flamencos. El espejo de la pared, que figura en la portezuela de la izquierda, se ha reproducido de *La boda de Arnolfini* – pieza realizada cuatro años antes por Jan van Eyck y actualmente en la National Gallery de Londres.

3
Franck van der Stockt
Bruselas, 1420 (?) – Bruselas, 1495
Tabla central de un tríptico, con *La Crucifixión*
Tabla, 195 × 172 cm
Procedente del convento de los Ángeles de Madrid; No. de Catálogo 1888

3

1

Rogier van der Weyden
Tournai, aprox. 1399/1400 – Bruselas, 1464
La Virgen con el Niño
Tabla, 100 × 52 cm
Adquirida en 1899 del palacio de Boadilla. Legada al Prado en 1938 por Don Pedro Fernández Durán; No. de Catálogo 2722

2

Rogier van der Weyden
Tournai, aprox. 1399/1400 – Bruselas, 1464
El descendimiento de la cruz, aprox. 1435
Tabla, 220 × 262 cm
Colección de Felipe II; No. de Catálogo 2825

Después de instruirse en el taller de Robert Campin, Rogier van der Weyden se trasladó a Bruselas en 1435 y poco después fue nombrado pintor de la ciudad. Alrededor de 1450, cuando parece haber viajado a Italia, ya había ganado una reputación internacional, y el estilo de sus figuras y composiciones se difundiría por todo el norte de Europa hasta el final de siglo XV.

Ésta es una de sus obras más influyentes y más copiadas. La conmovedora escena del descendimiento del cuerpo de Cristo de la cruz, se comprime en un hueco poco profundo para imitar el efecto que se hubiera conseguido más costosamente con una obra esculpida en madera y después pintada. Sin embargo, para el espectador moderno, la eliminación de las distracciones junto con las figuras monumentales sirve para aumentar el pathos. La obra fue y sigue siendo extraordinaria por la exactitud con que representa las superficies, y por la elocuente y memorable expresión de la tristeza de los participantes.

3

Adriaen Isenbrandt
Trabaja después de 1510; muerto 1551 en Brujas
La misa de San Gregorio
Lienzo, 72 × 56 cm
Entró en el Prado en 1822 procedente del Palacio Real de Madrid; No. de Catálogo 1943

4

Atribuida a Gerard David
Oudewater, aprox. 1450/60 – Brujas, 1523
La Virgen con el Niño
Tabla, 45 × 34 cm
Entró en el Prado en 1839 procedente de El Escorial; No. de Catálogo 1537

Con la muerte de Memling, en 1494, Gerard David se convirtió en el artista principal de Brujas. Esta pequeña tabla, aunque tal vez no del maestro mismo, muestra la delicadeza y suavidad de su obra. La utilización del marco, que crea la impresión de que la Virgen está detrás del

1

tepecho de una ventana, sigue una
rga tradición de la pintura primitiva
menca. A través de la ventana se revela
bello paisaje, y hállase en el antepecho
florero meticulosamente pintado; claro
tá que el paisajismo y los bodegones
an especialidades de la escuela
menca.

4

1

Dieric Bouts
Haarlem, aprox. 1420 – Lovaina, 1475
Detalle de un políptico, con *La adoración de los Reyes*, aprox. 1445
Tabla, 80 × 56 cm
Entró en el Prado en 1839 procedente de El Escorial; No. de Catálogo 1461

2

Hans Memling
Momling, aprox. 1433 – Brujas, 1494
Detalles de un tríptico, con *La Natividad*, y *La purificación del templo*, aprox. 1470
Tabla, 95 × 145 cm (centro), 95 × 63 cm (laterales)
Colección de Carlos V. Entró en el Prado en 1847; No. de Catálogo 1557

Hans Memling se formó en el taller de Rogier van der Weyden en Bruselas y más tarde se estableció en Brujas. Practicó un estilo claro, simétrico, rico en matices y sumamente competente, que carece de la fuerza emotiva de su maestro y del exquisito detalle técnico de Jan van Eyck. Las composiciones de este tríptico siguen modelos establecidos por Van der Weyden, pero son característicamente más apagadas y menos monumentales.

1

**Hieronymus van Aeken, llamado Bosch –
y en España, El Bosco**
'**s-Hertogenbosch, aprox. 1450 –
's-Hertogenbosch, 1516**
La mesa de los Pecados Capitales, aprox.
1480
Tabla, 120 × 150 cm
Colección de Felipe II; No. de Catálogo
2822

Ésta es una de las primeras obras
conocidas de El Bosco, y refleja el estilo y
los temas que más tarde se considerarían
característicos. Perteneció a Felipe II,

quien la guardaba en sus aposentos del
monasterio de El Escorial.

En el centro, alrededor de la figura de
Cristo, aparecen siete escenas que ilustran
los siete Pecados Capitales, cada una con
la inscripción correspondiente, y com-
puestas con toda la vivacidad y fantasía
típicas del pintor. La Ira nos presenta una
escena de celos y de lucha; en la Soberbia,
un demonio presenta un espejo a una
mujer; en la Lujuria, dos parejas de
amantes hablan bajo una tienda, diver-
tidos por un bufón, y en el suelo yacen
instrumentos musicales, entre ellos un

arpa que reaparecerá en el *Jardín de las
Delicias;* la Pereza está representada por
una mujer ataviada para ir a la iglesia
intentando despertar a un hombre que
duerme; la Gula muestra una mesa llena
de alimentos y a su alrededor personajes
que comen con voracidad; la Avaricia
exhibe a un juez que se deja sobornar; y la
Envidia ilustra el refrán flamenco 'Dos
perros con un hueso rara vez llegan a un
acuerdo'. En las esquinas de la mesa
tenemos cuatro círculos con las postrimer-
ías: Muerte, Juicio Final, Infierno y Gloria.

Hieronymus van Aeken, llamado Bosch –
y en España, El Bosco
's-Hertogenbosch, aprox. 1450 –
's-Hertogenbosch, 1516
La piedra de la locura, aprox. 1490
Tabla, 48 × 35 cm
Colección de Felipe II; No. de Catálogo
2056

**Hieronymus van Aeken, llamado Bosch –
y en España, El Bosco**
**'s-Hertogenbosch, aprox. 1450 –
's-Hertogenbosch, 1516**
Jardín de las Delicias, aprox. 1510
Tabla, 220 × 195 cm (centro),
220 × 97 cm (laterales)
Colección de Felipe II; No. de Catálogo
2823

Las extrañas y enigmáticas fantasías que
poblan la obra de Bosch le ganaron una
fama enorme, incluso en vida delantista, y
sus creaciones inspiraron numerosas
imitaciones. De hecho, no hay nada ni de
su propia obra ni tampoco en la de sus
contemporáneos que iguale la inventiva
del tríptico del *Jardín de las Delicias*, su
pintura más célebre, con justificación.

   Ha habido muchas tentativas de re-
lacionar estas fantasías con las realidades
de su propia época. De esta manera, se
han asociado algunas de las visiones de
tipo sexual con las creencias de la secta
herética de los adamitas, que se difundió
por el norte de Europa durante la Edad
Media, y que predicaba, teóricamente por
lo menos, la libertad sexual tal como
hubiese existido en El Edén. No obstante,
la linea de investigación más plausible ha
sido la que reconoce muchas de las
imágenes como ilustraciones de refranes
populares – como en el caso de los
amantes en la bola de cristal que parecen
recordar el proverbio 'El placer es tan
frágil como el vidrio'. Asimismo, se puede
aplicar el mismo argumento en cuanto a
la relación de algunas de las fantasías que
aparecen en obras posteriores, tales como
La piedra de la locura y *El carro de heno*, que
a la vez enlazan con la interpretación de
proverbios en que acertó Brueghel a
mediados del siglo XVI – aunque sin la
profusión de elementos satánicos en la
obra de este maestro del espíritu fantástico.

**Hieronymus van Aeken, llamado Bosch –
y en España, El Bosco**
**'s-Hertogenbosch, aprox. 1450 –
's-Hertogenbosch, 1516**
El carro de heno, aprox. 1495/1500
Tabla, 135 × 100 cm (centro),
135 × 45 cm (laterales)
Colección de Felipe II; No. de Catálogo
2052

Desde 1486 El Bosco fue miembro de la
Cofradía de Nuestra Señora, que mantenía
estrechas relaciones con la más ascética
Cofradía de los Hermanos de la Vida en
Común, fundada al final del siglo XIV.
Movimiento hondamente renovador, los
Hermanos de la Vida en Común atacaban
sobre todo el corrompido clero medieval y
veían los placeres del mundo como

camino seguro al Infierno. El tríptico
cerrado muestra en su exterior el Camino
de la Vida, que tal vez alude a los ideales
de la Cofradía.
   La tabla central se basa en el proverbio
'El mundo es un carro de heno del que
cada uno toma lo que puede'. En efecto, se
representa a todo tipo de persona afanán-
dose por coger lo que pueda, desde el papa

la izquierda, montado a caballo) hasta gitana (en primer plano) que engaña n la buenaventura a una dama crédula, ientras que su hija le roba la cartera. La mposición reverbera con ecos de una cena de Crucifixión, los amantes zosos sentados sobre el carro reempla-n a Cristo, y el papa caballo en lugar de s verdugos romanos. La obra es una tira sobre un mundo que ha abando-do a Dios.

Hieronymus van Aeken, llamado Bosch – y en España, El Bosco
's-Hertogenbosch, aprox. 1450 – 's-Hertogenbosch, 1516
La adoración de los Magos, aprox. 1510
Tabla, 138 × 72 cm (centro), 138 × 34 cm (laterales)
Colección de Felipe II. Entró en el Prado en 1839; No. de Catálogo 2048

Esta obra tardía, con donantes, marido y mujer, en los laterales de la izquierda y derecha, es un retablo de formato y tema tradicional. No obstante, figuran algunas de las intrusiones que podrían esperarse de El Bosco – no tanto los pastores bastante graciosos que han trepado al techo de la cabaña para ver al Niño, como la inquietante figura del rey vestido de manera tan extraña que se asoma por la puerta del establo. Su identidad no está clara: ¿ es Herodes, el Anticristo, o simplemente un trastornado que se burla del milagroso suceso o que por el contrario ha recuperado su juicio?

1
Jan Gossaert, llamado Mabuse
Maubeuge, aprox. 1478 – Middelburgo,
aprox. 1533/36
La Virgen de Lovaina
Tabla, 45 × 49 cm
Regalada a Felipe II por la ciudad de
Lovaina en 1588. Entró en el Prado en
1839; No. de Catálogo 1536

2
Jan Gossaert, llamado Mabuse
Maubeuge, aprox. 1478 – Middelburgo,
aprox. 1533/36
La Virgen con el Niño, aprox. 1527
Tabla, 63 × 50 cm
Colección de Felipe II; N. de Catálogo
1930

3
Joachim Patinir
Bouvignes, aprox. 1480 – Amberes, 1530
Las Tentaciones de San Antonio Abad
Tabla, 155 × 173
Colección de Felipe II; No. de Catálogo
1615

4
Joachim Patinir
Bouvignes, aprox. 1480 – Amberes, 1530
El paso de la laguna de Estigia
Tabla, 64 × 103 cm
Formaba parte de la colección real en el
siglo XVIII; No. de Catálogo 1616

Notable paisajista, Joachim Patinir trabajó
en Amberes, y a menudo creaba los
fondos para las figuras de otros maestros
como Massys o Isenbrandt. En su propia
obra, el paisaje se convierte en el
elemento de mayor importancia, de
manera que las figuras que lo justifican –
aunque se sitúen en primer plano – a
veces quedan casi totalmente eclipsadas.
Aspiró a comunicar la impresión de
inmensas vistas panorámicas, y las realizó
no desde un punto de vista natural sino de
elevación artificial. Característicamente, el
paisaje se aviva con efectos dramáticos del
tiempo o un incendio, siguiendo un estilo
que recuerda a Bosch.

1

2

3

4

1

Bernard van Orley
Bruselas, aprox. 1491 – Bruselas, 1542
La Sagrada Familia, 1522
Tabla, 90 × 74 cm
Procedente del convento de Las Huelgas
de Burgos. Legada por Don Pablo Bosch
en 1915; No. de Catálogo 2692

2

Quentin Massys
Lovaina, aprox. 1465/66 – Amberes,
1530
Cristo presentado al pueblo, aprox. 1515
Tabla, 160 × 120 cm
Legada en 1936 por Don Mariano
Lanuza. Entró en el Prado en 1940;
No. de Catálogo 2801

Anthonis Mor van Dashorst, conocido
como Antonio Moro
Utrecht, 1519 – Amberes, 1575
La reina María de Inglaterra, segunda esposa
de Felipe II, 1554
Tabla, 109 × 84 cm
Colección de Carlos V; No. de Catálogo
2108

Anthonis Mor van Dashorst, conocido
como Antonio Moro
Utrecht, 1519 – Amberes, 1575
La reina María de Inglaterra, segunda esposa
de Felipe II, 1554

Marinus Claeszon van Reymerswaele
Roemeswaele, aprox. 1497 – Roeme-
swaele, después de 1567
El cambista y su mujer, 1539
Tabla, 83 × 97 cm
Legada por el duque de Tarifa en 1934;
No. de Catálogo 2567

I

I

Pieter Brueghel el Viejo
Breda (?), aprox. 1525/30 – Bruselas,
1569
El triunfo de la muerte, aprox. 1562
Tabla, 117 × 162 cm
Formaba parte de la colección real en el
siglo XVIII; No. de Catálogo 1393

2

Pieter Coecke van Aelst
Aelst, 1502 – Bruselas, 1556
Santísima Trinidad
Tabla, 98 × 84 cm
Adquirida en 1970; No. de Catálogo 3210

2

Frans Francken II
Amberes, 1581 – Amberes, 1642
Neptuno y Anfitrite
Cobre, 30 × 41 cm
Formaba parte de la colección real en el
siglo XVIII; en la quinta del duque del Arco
en 1794; No. de Catálogo 1523

Peter Paul Rubens
Siegen, 1577 – Amberes, 1640
El duque de Lerma, aprox. 1603
Lienzo, 283 × 200 cm
Adquirido en 1869; No. de Catálogo 3137

Rubens realizó este cuadro durante su
primera estancia en Madrid, utilizándolo
para mostrar sus talentos y llamar la
atención de la corte. Ya se notan muchos
de los elementos de su maduro estilo
barroco, que seguramente fueron conside-
rados como nuevos y sorprendentes por
un público tan exclusivo. Su manera

de representar el caballo de modo que no
sólo parece avanzar hacia el espectador
sino estar a punto de invadir su espacio –
efecto logrado por el punto de vista tan
bajo y la ausencia de elementos de con-
trabalanza en primer plano, que recuerda
la técnica de Caravaggio – fue especta-
cular, y rompió con el perfil tradicional de
los retratos ecuestres. Entre los otros
recursos utilizados por Rubens a fin de
aumentar el espectáculo pueden contarse
el excéntrico colorido, la tempestuosa
iluminación, y la energía algo inquietante
del crin del caballo y follaje de los árboles.

1

Peter Paul Rubens
Siegen, 1577 – Amberes, 1640
La adoración de los Magos, aprox. 1609 –
repintado en 1628
Lienzo, 345 × 438 cm
Colección de Felipe IV; No. de Catálogo
1638

2

Peter Paul Rubens
Siegen, 1577 – Amberes, 1640
La lucha de San Jorge con el dragón, aprox.
1606
Lienzo, 304 × 256 cm
Adquirido en 1656 por Felipe IV en la
testamentaría del pintor; No. de Catálogo
1644

Peter Paul Rubens
Siegen, 1577 – Amberes, 1640
*El triunfo de la iglesia sobre la furia, la
discordia, y el odio*, aprox. 1628
Boceto sobre tabla para un tapiz,
86 × 105 cm
Colección de Felipe IV; No. de Catálogo
1698

1

1
Peter Paul Rubens
Siegen, 1577 – Amberes, 1640
El Cardenal-infante, aprox. 1634
Lienzo, 335 × 258 cm
Colección de Felipe IV; No. de Catálogo
1687

2
Peter Paul Rubens
Siegen, 1577 – Amberes, 1640
Santiago el Mayor, aprox. 1612/13
Tabla, 108 × 84 cm
Formaba parte de la colección de Isabel de
Farnesio en 1746. Entró en el Prado en
1829; No. de Catálogo 1648

3
Peter Paul Rubens
Siegen, 1577 – Amberes, 1640
María de Médicis, reina de Francia, aprox.
1622
Lienzo, 130 × 108 cm
Adquirido en 1656 por Felipe IV en la
testamentaría del artista; No. de Catálogo
1685

3

Peter Paul Rubens
Siegen, 1577 – Amberes, 1640
Las tres gracias, aprox. 1636/38
Tabla, 221 × 181 cm
Adquirida en 1656 por Felipe IV en la
testamentaría del pintor; No. de Catálogo
1670

r Paul Rubens
en, 1577 – Amberes, 1640
rdín del amor, aprox. 1633
zo, 198 × 283 cm
cción de Felipe IV; No. de Catálogo
o

esplêndida visión de regodeo sensual
rnó la alcoba de Felipe IV. El tema es
icional de la Edad Media, cuando
n las convenciones del periodo, los
ntes se retrataban en un jardín, a
s junto a símbolos con mensajes
ales. Durante el Renacimiento italiano
ma se había representado en *fêtes*
npêtres, tal como la que se encuentra
l Louvre, atribuida a Giorgione o
ano. Este lienzo de Rubens encarna un
bón importante dentro de la tradición
origina en aquellas obras para exten-
se hasta las obras de Watteau y Pater
el siglo XVIII.

r Paul Rubens
en, 1577 – Amberes, 1640
za de aldeanos
la, 73 × 106 cm
quirida en 1656 por Felipe IV en la
amentaría del artista; No. de Catálogo
I

3

r Paul Rubens
en, 1577 – Amberes, 1640
aje con la caza del jabalí de Caledonia,
es de 1636
zo, 160 × 260 cm
ección de Felipe IV; No. de Catálogo
2

r Paul Rubens
en, 1577 – Amberes, 1640
rno devorando a un hijo, aprox.
6/38
zo, 180 × 87 cm
argado por Felipe IV para la Torre de
arada; No. de Catálogo 1678

r Paul Rubens
en, 1577 – Amberes, 1640
seo y Andrómeda aprox. 1640
cluido por Jacob Jordaens)
zo, 265 × 160 cm
ección de Felipe IV; No. de Catálogo
3

4

5

1
Peter Paul Rubens
Siegen, 1577 – Amberes, 1640
El juicio de París, aprox. 1639
Tabla, 199 × 379 cm
Colección de Felipe IV. Entró en el Prado
en 1839; No. de Catálogo 1669

2
Peter Paul Rubens
Siegen, 1577 – Amberes, 1640
El banquete de Tereo, aprox. 1636/38
Tabla, 195 × 267 cm
Encargada por Felipe IV para la Torre de
la Parada; No. de Catálogo 1660

3

4

3
Jacob Jordaens
Amberes, 1693 – Amberes, 1678
Autorretrato con su familia, aprox.
1620/22
Lienzo, 181 × 187 cm
Colección de Felipe V. Entró en el Prado
en 1829; No. de Catálogo 1549

4
Jacob Jordaens
Amberes, 1693 – Amberes, 1678
Ofrenda a Ceres, diosa de la Cosecha, aprox.
1618/20
Lienzo, 165 × 112 cm
Formaba parte de la colección real en el
siglo XVIII; No. de Catálogo 1547

1
Jacob Jordaens
Amberes, 1693 – Amberes, 1678
Ninfas en la fuente del amor, aprox. 1630
Lienzo montado en una tabla,
131 × 127 cm
Colección de Felipe IV; No. de Catálogo
1548

2
Frans Pourbus
Amberes, 1569 – París, 1622
María de Médicis, reina de Francia, 1617
Lienzo, 215 × 115 cm
Colección real; No. de Catálogo 1624

3
Frans Luyck
Amberes, 1604 – Viena, 1668
María de Habsburgo, emperatriz de Austria,
aprox. 1646
Lienzo, 215 × 147 cm
Colección de Felipe IV (?); No. de Catálogo
1272

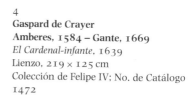

4
Gaspard de Crayer
Amberes, 1584 – Gante, 1669
El Cardenal-infante, 1639
Lienzo, 219 × 125 cm
Colección de Felipe IV; No. de Catálogo
1472

I

Jan van Kessel el Joven
Amberes, 1654 – Madrid, aprox. 1708
Retrato de familia, 1680
Lienzo, 127 × 167 cm
Adquirido en 1928; No. de Catálogo 2525

2

Paulus van Somer
Amberes, aprox. 1576 – Londres, 1621
Jacobo I, rey de Inglaterra
Lienzo, 196 × 120 cm
Colección de Felipe IV; No. de Catálogo
1954

3

Anton Van Dyck
Amberes, 1599 – Londres, 1641
Los desposorios de Santa Catalina, aprox.
1618/20
Lienzo, 121 × 173 cm
Formaba parte de la colección real en el
siglo XVIII; No. de Catálogo 1544

4

Anton Van Dyck
Amberes, 1599 – Londres, 1641
El Prendimiento, aprox. 1618/20
Lienzo, 344 × 249 cm
Adquirido en 1656 por Felipe IV en la
testamentaría de Peter Paul Rubens;
No. de Catálogo 1477

I

...ton van Dyck
...mberes, 1599 – Londres, 1641
...corona de espinas, aprox. 1618/20
...enzo, 223 × 196 cm
...lección de Felipe IV. Entró en el Prado
...1839; No. de Catálogo 1474

...ta es una obra temprana de Van Dyck,
...e logra transmitir el contraste entre la
...renidad de Cristo y la vileza de sus
...resadores con sumo vigor. Como hacía
...n frecuencia, Van Dyck se inspiró en un
...moso cuadro de Tiziano, dado su gran
...miración por este artista. No obstante,
...mbién destaca la influencia de Rubens.
...a presentación resulta típicamente
...rroca: frente a la violencia que se
...trata, al espectador se le obliga adoptar
...papel de testigo impotente. El artista
...fuerza el efecto con magníficas texturas
...tales como el pecho descubierto de Cristo
...a contraposición con el preciso destello
...l hacha o la fluida musculatura del
...yón a su lado.

...nton van Dyck
...mberes, 1599 – Londres, 1641
...utorretrato con Sir Endymion Porter,
...rox. 1632/41
...enzo, 110 × 114 cm
...rmaba parte de la colección de Isabel de
...rnesio en 1746; No. de Catálogo 1489

...nton van Dyck
...mberes, 1599 – Londres, 1641
...artin Ryckaert, aprox. 1627/32
...enzo, 148 × 113 cm
...lección de Felipe IV; No. de Catálogo
...479

1

2

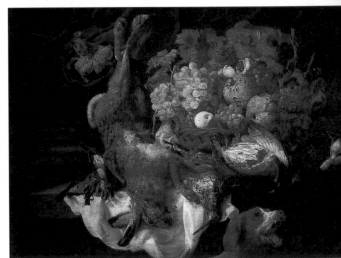

5
Denis van Alsloot
Mechlin, 1570 – Bruselas, 1628
Patinando en carnaval, aprox. 1620
Tabla, 57 × 100 cm
Formaba parte de la colección de Isabel de
Farnesio en 1746; No. de Catálogo 1346

6
Alexander van Adriaessen
Amberes, 1587 – Amberes, 1661
Bodegón
Tabla, 60 × 91 cm
Legada a Felipe IV por el marqués de
Leganés en 1652; No. de Catálogo 1343

5

...iaen van Utrecht
...beres, 1599 – Amberes, 1653
...a despensa, 1642
...zo, 221 × 307 cm
...maba parte de la colección de Isabel de
...nesio en 1746; No. de Catálogo 1852

...as Beert
...beres, aprox. 1580 – Amberes, 1624
...egón
...la, 43 × 54 cm
...maba parte de la colección de Isabel de
...nesio en 1746; No. de Catálogo 1606

...ra Peeters
...beres, 1594 – Amberes, 1659
...egón, 1611
...la, 52 × 73 cm
...maba parte de la colección de Isabel de
...nesio en 1746; No. de Catálogo 1620

6

...Fyt
...beres, 1611 – Amberes, 1661
...egón con un perro
...la, 77 × 112 cm
...maba parte de la colección de Isabel de
...nesio en 1746; No. de Catálogo 1529

1

Pieter Brueghel el Joven
Bruselas, 1564 – Amberes, 1638
Paisaje invernal con una trampa para pájoras
Tabla, 40 × 57 cm
Formaba parte de la colección de Isabel de
Farnesio en 1746; No. de Catálogo 2045

2

Jan Miel
Beveren-Was, 1599 – Torino, 1663
El carnaval de Roma, 1653
Lienzo, 68 × 50 cm
Colección de Felipe IV; No. de Catálogo
1577

Gillis van Coninxloo III
Amberes, 1544 – Amberes, 1607
Paisaje
Cobre, 24 × 19 cm
Origen desconocido
No. de Catálogo 1385

1
Jan Brueghel el Viejo
Amberes, 1568 – Amberes, 1625
Banquete nupcial
Lienzo, 84 × 126 cm
Colección de Felipe IV; No. de Catálogo
1442

2
Jan Brueghel el Viejo
Amberes, 1568 – Amberes, 1625
Reunión de gitanos en un bosque
Tabla, 35 × 43 cm
Formaba parte de colección de Felipe V en
1746; No. de Catálogo 1432

3
Jan Brueghel el Viejo y Peter Paul Rubens
Amberes, 1568 – Amberes, 1625; Siegen,
1577 – Amberes, 1640
La visión de San Huberto, aprox. 1620
Tabla, 63 × 100 cm
Legada a Felipe IV por el marqués de
Leganés; No. de Catálogo 1411

1

2

4

Joos de Momper
Amberes, 1564 – Amberes, 1635
Paisaje
Lienzo, 174 × 256 cm
No. de Catálogo 1592

Joos de Momper continuó la tradición del paisajismo panorámico instituida por Patinir y Pieter Brueghel el Viejo. La fórmula familiar de colocar las tonalidades marrones en primer plano, las verdes en el medio y las de azul claro al fondo, crea la sensación de espacio etéreo – efecto intensificado por las formas oscuras de los pájaros que vuelan contra el brumoso colorido celeste de azul y blanco. En primer plano se halla el grupo usual de figuras pintorescas.

3

4

Joos de Momper
Amberes, 1564 – Amberes, 1635
Paisaje
Lienzo, 174 × 256 cm
No. de Catálogo 1592

1
Joos de Momper
Amberes, 1564 – Amberes, 1635
Mercado y lavadero flamenco
Lienzo, 166 × 194 cm
Formaba parte de la colección real en el
siglo XVIII; No. de Catálogo 1443

2
Jan Brueghel el Viejo y Peter Paul Rubens
Amberes, 1568 – Amberes, 1625; Siegen,
1577 – Amberes, 1640
La vista, 1617
Tabla, 65 × 109 cm
Regalada a Felipe IV por el duque de
Medina Sidonia en 1635; No. de Catálogo
1394

3
Jan Brueghel el Viejo y Peter Paul Rube
Amberes, 1568 – Amberes, 1625;
Siegen, 1577 – Amberes, 1640
*La Virgen y el Niño rodeado por una guir-
nalda de flores y frutas*, aprox. 1614/18
Tabla, 79 × 65 cm
Colección de Felipe IV; No. de Catálogo
1418

4
Jan Brueghel el Viejo
Amberes, 1568 – Amberes, 1625
Florero
Tabla, 49 × 39 cm
Colección real; No. de Catálogo 1423

3

4

Paul Bril y Peter Paul Rubens
Amberes, 1554 – Roma, 1626; Siegen,
1577 – Amberes, 1640
Paisaje con Júpiter visitando a Psique,
1610
Lienzo, 93 × 128 cm
Colección de Felipe IV; No. de Catálogo
1849

a Brueghel el Viejo y Hendrick de
rck
mberes, 1568 – Amberes, 1625; nacido
Bruselas, donde murió en 1630
abundancia y los cuatro elementos, aprox.
06
ore, 51 × 64 cm
ección de Felipe V. Entró en el Prado
1824; No. de Catálogo 1401

1
David Teniers el Joven
Amberes, 1610 – Bruselas, 1690
Festejo de campesinos, aprox. 1650
Lienzo, 69 × 86 cm
Colección de Carlos IV; No. de Catálogo
1785

2
David Teniers el Joven
Amberes, 1610 – Bruselas, 1690
Carnaval: 'Le roi boit'
Cobre, 58 × 70 cm
Formaba parte de la colección real en el
siglo XVIII; No. de Catálogo 1797

avid Teniers el Joven
nberes, 1610 – Bruselas, 1690

archiduque Leopoldo Guillermo en su
ería de pinturas, aprox. 1647
bre, 106 × 129 cm

galado a Felipe IV por el archiduque
opoldo Guillermo antes de 1653; No. de
tálogo 1813

vid Teniers fue pintor de cámara del
chiduque Leopoldo Guillermo de Habs-
rgo, gobernador de Flandes, y también
nservador de su extraordinaria colec-

ción de pinturas y esculturas. Realizó
varios retratos de este tipo, compuestos en
el ámbito de una galería. El archiduque
(con el sombrero puesto) se retrata enseñ-
ando su abundante colección a unos
visitantes. La mayoría de las obras son
venecianas, y casi la mitad pintadas por
Tiziano. No obstante, también hay obras
de otros artistas venecianos como Giorgione, Antonello da Messina, Palma el
Viejo, Tintoretto, Bassano y Veronese; y
además, de Mabuse, Holbein, Bernardo
Strozzi, Guido Reni, y Rubens. La escul-

tura que soporta la mesa es un bronce de
Duquesnoy el Joven, que representa a
Ganimedes. Teniers se representó a sí
mismo en la figura de la extrema izquierda. Se ha sugerido que Velázquez
tomase la idea de la puerta entreabierta al
fondo del cuadro para *Las meninas*; y
hasta cierto punto ambos cuadros preten-
den ilustrar el culto amparo del patrón y
el orgullo correspondiente del artista de la
corte.

1
Valentin de Boulogne
Coulommiers-en-Brie, 1591 – Roma,
1632
El martirio de San Lorenzo, aprox. 1621/22
Lienzo, 195 × 261 cm
Colección de Felipe IV; No. de Catálogo
2346

2
Maestro anónimo, conocido como el
Pensionante de Saraceni
Trabaja en Roma entre 1610 y 1620
El vendedor de aves
Lienzo, 95 × 71 cm
Formaba parte de la colección real a fina-
les del siglo XVIII; No. de Catálogo 2235

1

2

3
Simon Vouet
París, 1590 – París, 1649
El tiempo vencido por la esperanza, el amor y
la belleza, 1627
Lienzo, 107 × 142 cm
Adquirido en Londres en 1954; No. de
Catálogo 2987

4
Nicolas Tournier
Montbeliard, 1590 – Toulouse, 1638 o
1639
La negación de San Pedro, aprox. 1625
Lienzo, 171 × 252 cm
Legado al Prado por Don Pedro Fernández
Durán en 1930; No. de Catálogo 2788

3

4

1
Nicolas Poussin
Les Andelys, 1594 – Roma, 1665
El triunfo de David, aprox. 1630
Lienzo, 100 × 130 cm
Adquirido por Felipe V en 1724 de la
colección de Carlo Maratta; No. de
Catálogo 2311

2
Simon Vouet
París, 1590 – París, 1649
*La Virgen y el Niño, con Santa Isabel, San
Juan y Santa Catalina*, aprox. 1624/26
Lienzo, 182 × 130 cm; Origen desconocido
No. de Catálogo 539

1

Nicolas Poussin fue sin duda el artista
francés más importante de siglo XVII, y el
exponente más notable del clasicismo
barroco. A pesar de que trabajó casi toda
la vida en Roma, tuvo una gran influencia no solamente en la pintura italiana
sino también en la francesa. Su arte
refleja un profundo conocimiento tanto
del pasado clásico como del alto
Renacimiento: de la escultura clásica y de
Rafael y Tiziano. De estas fuentes creó
una variada fusión de maestría y equilib-
rio singular, obteniendo soluciones
originales a problemas tradicionales. Esta
narración de una historia bíblica, concebida en lenguaje clásico, con la Victoria
coronando al héroe, es un ejemplo.

2

3
Nicolas Poussin
Les Andelys, 1594 – Roma, 1665
El Parnaso
Lienzo, 145 × 197 cm
Colección de Felipe V. Adquirido en
Rotterdam en 1714; No. de Catálogo
2313

4
Jacques Courtois, llamado Il Borgognone
St-Hippolyte, 1621 – Roma, 1676
Batalla entre cristianos y musulmanes
Lienzo, 96 × 152 cm; Origen desconocido
No. de Catálogo 2242

3

4

Claude Gellée, llamado Claude Lorrain
Chamagne, 1600 – Roma, 1682
Paisaje con Moisés salvado de las aguas,
aprox. 1637/39
Lienzo, 209 × 138 cm
Colección de Felipe IV; No. de Catálogo
2253

Claude Gellée, llamado Claude Lorrain
Chamagne, 1600 – Roma, 1682
El embarco en Ostia de Sta Paula Romana,
aprox. 1637/39
Lienzo, 211 × 145 cm
Colección de Felipe IV; No. de Catálogo
2254

Claude Lorrain, a veces conocido simplemente como Claude, perfeccionó la
creación de los paisajes ideales, situados
en una clásica y dorada antigüedad
repleta de armonía, ya fuera arquitectura,
tiempo, paisaje, o sociedad. Esta obra, tan
característica de su estilo, fue encargada

por Felipe IV para le decoración de una de
las galerías del Buen Retiro. El artista, por
medio de una escenografía teatral, trans
forma la acción de embarcar en acto de
dignidad romana, en heroica aventura y
glorioso ejemplo para la posteridad.

1

Philippe de Champaigne
Bruselas, 1602 – París, 1674
Luis XIII, 1655
Lienzo, 108 × 86 cm
Enviado a Felipe IV por su hermana Ana
de Austria, reina de Francia; No. de
Catálogo 2240

2

Sebastien Bourdon
Montpellier, 1616 – París, 1671
Cristina de Suecia, a caballo, 1653
Lienzo, 383 × 291 cm
Regalado a Felipe IV por la reina Cris-
tina de Suecia; No. de Catálogo 1503

3

Jean Le Maire
Dammartin, 1598 – Gaillon, 1659
Un ermitaño entre clásicas ruinas,
aprox. 1635/36
Lienzo, 162 × 240 cm
Colección de Felipe IV; No. de Catálogo
2316

4
Hyacinthe Rigaud
Perpiñán, 1659 – París, 1743
Luis XIV, armado, 1701
Lienzo, 238 × 149 cm
Colección de Felipe V; No. de
Catálogo 2343

5
Jacques Linard
París, aprox. 1600 – París, 1645
Vanitas, aprox. 1644
Lienzo, 31 × 39 cm
Adquirido en 1962; No. de Catálogo 3049

6
Sebastien Bourdon
Montpellier, 1616 – París, 1671
Moisés con la serpiente de metal, aprox.
1653/54
Lienzo, 105 × 89 cm
Legado por Katy Brunov en 1979; No. de
Catálogo 4717

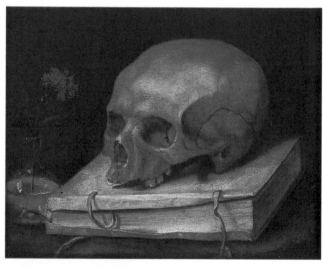

5

I

2

rgillière fue uno de los principales
ratistas de la Europa de finales del siglo
II y principios del XVIII. Sus obras
nbinan lo mejor de las escuelas fran-
as, flamencas e inglesas; y aparte de
ratos, también se especializaba en
sajes y bodegones. Aquí, con gran
streza, confiere dignidad real a la
queña María Ana – hija de Felipe V y
ometida de Luis XV de Francia – quien
s tarde se convertiría en reina de
rtugal.

3

1

2

Jan-Antoine Watteau
Valenciennes, 1684 – Nogent-sur-Marne,
1721
Fiesta en un parque, aprox. 1712/13
Lienzo, 48 × 55 cm
Formaba parte de la colección de Isabel de
Farnesio en 1746; No. de Catálogo 2354

Jean-Antoine Watteau
Valenciennes, 1684 – Nogent-sur-Marne,
1721
Capitulaciones de boda, aprox. 1712/13
Lienzo, 47 × 55 cm
Formaba parte de la colección de Isabel de
Farnesio en 1746; No. de Catálogo 2353

Antoine Watteau fue el inventor de un
nuevo espíritu o corriente dentro de lo
que se llama el rococó. Presentaba de-
licadas y brumosas escenas situadas en un
mundo vivaz y sensual, imbuido de una
calidad tan fresca y distante como si se
tratase de ayer.

Michel-Ange Houasse
París, 1680 – Arpajon, 1730
Vista del monasterio de El Escorial, aprox.
1720/30
Lienzo, 50 × 82 cm
Colección de Felipe V; No. de Catálogo
2269

Jean Ranc
Montpellier, 1674 – Madrid, 1735
Carlos III, de niño, aprox. 1723/24
Lienzo, 142 × 115 cm
Colección de Felipe V; No. de Catálogo
2334

3

4

1
Michel-Ange Houasse
París, 1680 – Arpajon, 1730
Bacanal, 1719
Lienzo, 125 × 180 cm
Colección de Felipe V. Entró en el Prado
en 1820; No. de Catálogo 2267

2
Jean Ranc
Montpellier, 1674 – Madrid, 1735
Felipe V con su familia, aprox. 1723
Lienzo, 44 × 65 cm
Colección de Felipe V; No. de Catálogo
2376

1

2

3

Louis-Michel van Loo
oulon, 1707 – París, 1771
a familia de Felipe V, 1743
enzo, 406 × 511 cm
olección de Felipe V; No. de Catálogo
283

lipe V, primer monarca español de la
asa de Borbón, encargaba retratos a los
tistas franceses que estuviesen más de
oda. Louis-Michel van Loo, que era de
na familia de pintores, no tardó en
nvertirse en su favorito. Ésta es una
ra característica de Van Loo, en que los
jetos se representan casi como si fuesen
gies, ataviados de manera sumamente
josa y complementados por arquitectura
losal, todo ello con un nivel de acabado
n alto, que es casi quebradizo.

arles-Joseph Flipart
arís, 1721 – Madrid, 1797
a rendición de Sevilla a San Fernando, rey
España, aprox. 1756/57
enzo, 72 × 56 cm
rmaba parte de la colección real en el
glo XVIII; No. de Catálogo 13

4

I

2

236

1
Jean Pillement
Lyon, 1728 – Lyon, 1808
Paisaje, 1773
Lienzo, 56 × 76 cm
Colección de Carlos IV; No. de Catálogo
2302

2
Claude-Joseph Vernet
Aviñón, 1714 – París, 1789
Vista de Sorrento
Lienzo, 59 × 109 cm
Colección de Carlos IV; No. de Catálogo
2350

3
Hubert Robert
París, 1733 – París, 1808
Una galería del Coliseo de Roma
Lienzo, 240 × 225 cm
Legado por el conde de la Cimera en
1944; No. de Catálogo 2883

4
Antoine-Françoise Callet
París, 1741 – París, 1823
Luis XVI, aprox. 1783
Lienzo, 273 × 193 cm
Regalado al conde de Aranda por Luis
XVI. Posteriormente adquirido al duque
de Hijar por Isabel II, quien lo donó al
Prado; No. de Catálogo 2238

3

4

La Pintura Holandesa

A lo largo de la Baja Edad Media y durante gran parte del siglo XVI, los Países Bajos formaron un solo país con características propias. Durante el gobierno de Carlos V, los Países Bajos, aunque mantuvieron su propia economía, quedaron integrados en el mosaico de estados dominados por la Casa de Austria y coordinados desde la Península Ibérica. No obstante, incluso en aquellos tiempos, las diferencias entre las formas de expresión artísticas del sur y el norte eran ya muy evidentes.

Durante el último tercio del siglo XVI, los Países Bajos experimentaron hondas transformaciones políticas y sufrieron inestabilidad como resultado de la difusión de las doctrinas religiosas surgidas de la Reforma, las cuales tuvieron un influjo tremendo en las provincias del norte, y aunque un poco menos, también en las del sur. La consiguiente sublevación de los territorios norteños resultó en la creación de un nuevo país – Holanda – que a partir de su reconocimiento en la Paz de Westfalia de 1648, evolucionó independiente de la tutela española. Sin embargo, las características definitivas de su sociedad se habían formado mucho antes de esta crítica fecha, y con ellas una estética muy propensa a una manera de expresión austera y concreta, poco inclinada a la fantasía y muy indicada para el patrocinio de los burgueses, artesanos y comerciantes. Además, los artistas, en vez de ejecutar obras para la iglesia o la aristocracia, como seguían haciendo sus contemporáneos del sur, trabajaban en formato pequeño, teniendo en cuenta las reducidas dimensiones de las viviendas de sus clientes, y con unos temas muy lejos de las heroicas mitologías tan favorecidas por los aristócratas. En efecto, el arte se adaptó a un sobrio y competitivo ambiente capitalista.

La presencia de pintores holandeses en la Roma caravaggiesca de principios del siglo XVII, y su subsiguiente regreso a la patria para definir de nuevo el realismo del arte holandés, dio lugar a la pintura intimista de género, la cual refleja los interiores domésticos y las escenas callejeras y de taberna, detallada y plena de naturalismo. Durante esta época, los artistas holandeses desarrollaron varias formas pictóricas: el paisajismo, los bodegones, y los temas de animales, además de los retratos – tanto individuales como colectivos – que son notables por su gran penetración psicológica. La segunda mitad del siglo es más diversificada y rica en matices, con una evolución hacia conceptos más decorativos imbuidos con el espíritu barroco.

Como es lógico, la hostilidad entre Holanda y España, que duró hasta mediados del siglo XVII, dificultó la entrada de cuadros holandeses en las colecciones españolas. La tirantez siguió a lo largo de la segunda mitad del siglo, a pesar de alianzas diplomáticas frente a Francia; y la diferenciación de gustos y culturas aseguró la continua ausencia de arte holandés en España. Por lo tanto, casi todas las piezas que hoy posee el Prado son resultado de adquisiciones posteriores, y en vano se buscarán las obras de Frans Hals, Vermeer y Hobbema, o las fastuosas naturalezas muertas de Kalf.

Durante el siglo XVII las colecciones reales registraron algunas entradas de obras holandesas, como las cuatro tablas con retratos femeninos por Adriaen Cronenburch, que muestran gran dignidad y presencia. Los espléndidos paisajes de Both y Swanevelt datan del reinado de Felipe IV, adquiridos en Roma para la decoración del Buen Retiro, así como los dos cuadros religiosos de Steenwijck el Joven, y *La incredulidad de Santo Tomás* de Stomer. Felipe V e Isabel de Farnesio optaron por la moda de los cuadros pequeños holandeses, ya muy populares en el siglo XVIII, adquiriendo muchas obras, entre las que figuran algunas de Droochslott, Schoeff, y Poelenburgh, junto con un gran número de escenas de Wouwermans. No obstante, fue a Carlos III a quien le cupo la gloria de conseguir el magnífico Rembrandt, *Artemisia*, adquirida en 1769 en la venta de los bienes del marqués de la Ensenada. Asimismo, Carlos IV adquirió múltiples e interesantes obras holandesas, entre ellas piezas de Breenberg, Schalken, Bramer, J. G. Cuyp y Wtewael, *El gallo muerto* de Metsu, escenas de taberna por Van Ostade, y la singular *Vanitas* de Steenwijck. Durante la invasión napoleónica las obras de esta escuela – reunidas con tanta solicitud por dicho monarca-fueron dispersadas, de modo que las que hoy día se hallan en el Prado son los restos del conjunto original.

Desde la apertura del Prado en 1819 no se han llenado las lagunas, aunque se han recibido ciertas donaciones generosas, así como: *Vacas y cabra* de Potter, que llegó en 1894 con el legado del marqués de Cabriñana; los tres bodegones de Heda y el de Claesz, que entraron en el Museo en 1930 con el legado Fernández Durán; y el retrato de un general, realizado por Backer y donado por el conde de Pradere en 1934; mientras que en 1935 entró un nuevo cuadro de Schalken, regalado por el duque de Arcos. En los años posteriores a la Guerra Civil y hasta fecha reciente, se han conseguido varias obras en el mercado de arte: dos retratos de Mierevelt y en 1953 un paisaje atribuido, con ciertas dudas, a Van Goyen, *La adoración de los pastores* de Benjamin Gerritsz Cuyp en 1954, y el excelente retrato de Petronella de Waert por Ter Borch, al que se añadió un bodegón de Rycknals en 1982.

Rembrandt Harmensz van Rijn
Leyden, 1606 – Amsterdam, 1669
Artemisia, 1634
Lienzo, 142 × 153 cm
Adquirido en 1769 para Carlos III por
Anton Mengs, procedente de la colección
del marqués de la Esenada; No. de Catá-
logo 2132.

Éste es el único lienzo seguro que posee el
Prado de mano de Rembrandt. Lo realizó
a los 28 años, en el año de su matrimonio
con Saskia, hija de un anticuario de Amsterdam, y parece probable que ella fuese la

modelo. El cuadro funciona a base de una
iluminación derivada de Caravaggio; técnica que Rembrandt tal vez hubiese asimilado durante su aprendizaje con Pieter
Lastman, quien había acogido la manera
nueva con entusiasmo. Rembrandt ya
sabía utilzarla para intensificar la esencia
de la textura, para enfatizar el hondo
modelado de la cara, la cabeza de la
criada, y la figura espectral que observa
desde el fondo, pero sobre todo para con-
centrarse en los suntuosos tejidos y la
copa ornamental.

1
Jan Davisz de Heem
Utrecht, 1606 – Amberes, 1684
Bodegón
Tabla, 49 × 64 cm
Origen desconocido
No. de Catálogo 2090

2
Pieter van Steenwyck
Trabaja en Delft a mediados del siglo XVII
Vanitas
Tabla, 34 × 46 cm
Colección de Carlos IV; no. de Catálogo
2137

3
Philips Wouwermans
Haarlem, 1619 – Haarlem, 1668
Salida de una posada
Tabla, 37 × 47 cm
Formaba parte de la colección de Isabel de
Farnesio en 1746; No. de Catálogo 2151

4
Solomon Koninck
Amsterdam, 1609 – Amsterdam, 1656
Un filósofo, 1635
Tabla, 17 × 71 cm
Adquirida en 1953; No. de Catálogo 2974

240

La Pintura Alemana

Al considerar la colección alemana, cabe señalar que la discontinuidad y las lagunas se deben no sólo a las idiosincracias de los coleccionistas reales, sino también a las dificultades casi insolubles que encara cualquier museo que intente clasificar y coordinar la evolución estética de Alemania por entero. Las frecuentes guerras, las divisiones políticas tradicionales y los conflictos religiosos, junto con todo tipo de elementos divisivos que han ido entretejiendo la atormentada historia de Alemania, han contribuido a la formación de un complejo mosaico de multiformes estilos artísticos cuya representación coherente resulta muy difícil con pocos ejemplares.

A lo largo del siglo xv en Alemania se fue desarrollando un movimiento pictórico influenciado por los primitivos flamencos, el cual era en realidad una continuación del admirable estilo internacional del siglo anterior que había florecido desde La Haya hasta Bohemia y Austria. Muchas de las obras de este periodo muestran unas peculiaridades marcadamente expresionistas, así como una tendencia a los efectos excesivos y un carácter de concentrada violencia, lo cual confiere a sus sujetos una calidad tensa y dramática que reaparece tan a menudo en posteriores obras alemanas. Sin embargo, aun cuando se descubra cierto tono expresivo a lo largo de las diversas fases de la historia del arte alemán – a fines del periodo gótico, durante el barroco, y en la culminación del rococó – el concepto de un *geist* ('espíritu') común no funciona necesariamente a nivel local. Las tradiciones locales, la fragmentación de los estados que componían el imperio germánico, y los diferentes grados de asimilación de las influencias extranjeras, contribuyeron a la extrema complejidad del ambiente alemán, la cual se acentuaría aun más a causa de cuestiones históricas: la Reforma, la Contrarreforma, las crisis dinásticas, los intereses personales de los príncipes, la Guerra de los Treinta Años, las interferencias de Francia, la potencia de Austria, la expansión de Prusia, y la ilustración del siglo XVIII.

A pesar de las estrechas relaciones dinásticas entre España y el imperio austriaco durante los siglos XVI y XVII, no mantuvieron las correspondientes relaciones artísticas y por lo tanto las escuelas germánicas tienen una escasa representación en el Prado. Tanto el emperador Carlos V como su hijo Felipe II se inclinaron más por las novedades pictóricas italianas y las tradiciones flamencas, y parece

probable que el arte alemán lo rechazaran de forma consciente – a causa de su carácter expresionista y pesimista, tan contrario al espíritu del mundo mediterráneo. También es posible que hubiesen visto el espíritu anticlásico del arte alemán como reflejo de la desintegración interna de Alemania, provocada por el conflicto religioso y la emergencia del protestantismo. Esto explicaría la escasez de obras de este origen en la colección real de aquel entonces, y hay que esperar hasta el siglo XVII para ver un incremento – por modesto que sea – en la representación alemana del Museo.

Sin embargo, con la herencia de la reina María de Hungría, hermana de Carlos V, entraron dos tablas de Lucas Cranach el Viejo en colaboración con su hijo, obras que representan unas cacerías en el castillo de Torgau en honor de Carlos V, y de Felipe II fueron las dos tablas de Baldung Grien, la elegante *Tres gracias* y la siniestra *Tres edades del hombre*. Hay también cuatro lienzos formidables de Dürer. Las dos tablas *Adán* y *Eva* fueron regalo de la reina Cristina de Suecia a Felipe IV, quien también adquirió el incomparable *Autorretrato* de Dürer en la venta de los bienes de Carlos I de Inglaterra; dicha obra ejemplifica la magistral precisión técnica de sus retratos. Propiedad del mismo monarca fue además el fascinante *Retrato de un caballero*.

A excepción de una interesante obra de Elsheimer del siglo XVII, y varios temas pastorales de Rosa de Tivoli, los soberanos no volvieron a adquirir cuadros nuevos hasta el principio del siglo XVIII, cuando Isabel de Farnesio compró dos retratos del siglo XVI, atribuidos a Amberger. Dos paisajes de Vollardt, donados por Don Pedro Fernández Durán en 1930, son buenos ejemplos del rococó alemán; mientras que el neoclasicismo alemán triunfa en el Museo merced a la obra de Anton Rafael Mengs, quien fue llamado por Carlos III para decorar el Palacio Real de Madrid, y llegó a ser una poderosa figura en la corte. Pintor de meticulosas escenas religiosas y de exquisitos retratos aporcelanados, sus obras suelen reflejar el refinado ambiente cortesano que cultivaba el neoclasicismo.

Se concluye con una obra de Angelica Kauffman que entró en el Prado con el legado Errazu en 1925. Aquí, se combinan conceptos neoclásicos con la influencia del retrato británico para producir un elegante y evocativo estilo femenino propio del tardío siglo XVIII.

Albrecht Dürer
Nuremberg, 1471 – Nuremberg, 1528
Retrato de un caballero, 1524
Tabla, 50 × 36 cm
Originalmente de la colección del Alcázar
de Madrid, en el siglo XVII; No. de Cat-
álogo 2180

Albrecht Dürer
Nuremberg, 1471 – Nuremberg, 1528
Retrato de un caballero, 1524
Tabla, 50 × 36 cm
Originalmente de la colección del Alcázar
de Madrid, en el siglo XVII; No. de Cat-
álogo 2180

243

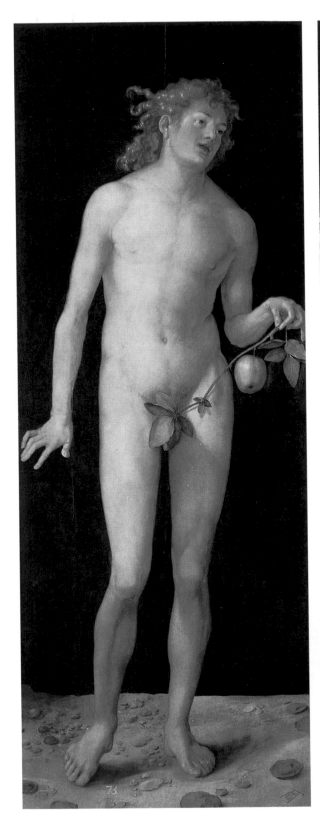

Hans Baldung Grien
Gmünd, aprox. 1484/85 – Estrasburgo,
1545
Las tres edades del hombre, 1539
Tabla, 151 × 61 cm
Regalada a Jean de Ligne por el conde
de Solns en 1547; más tarde en la colec-
ción de Felipe II; No. de Catálogo 2220

Hans Baldung Grien
Gmünd, aprox. 1484/85 – Estrasburgo,
1545
Las tres gracias, 1539
Tabla, 151 × 61 cm
Regalada a Jena de ligne por el conde
de Solns en 1547; después en la colección
de Felipe II; No. de Catálogo 2219

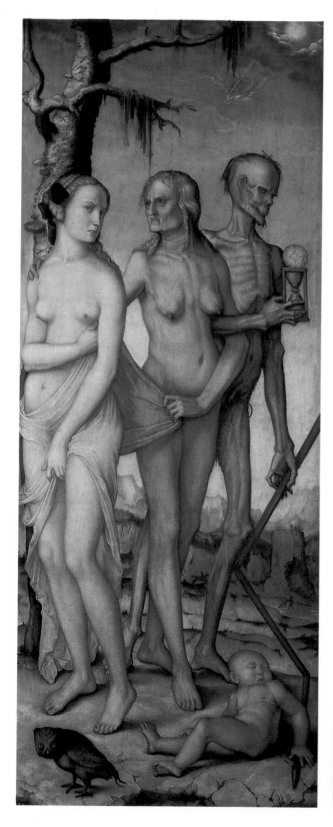

Lucas Cranach
Kronach, 1472 – Weimar, 1553
Cacerías en el castillo de Torgau en honor de
Carlos V, 1544
Tabla, 114 × 175 cm
Heredada por Felipe II de la colección de
María, reina de Hungría; No. de Catálogo
2175

Christoph Amberger
Nacido aprox. 1505; muerto 1562 en
Augsburgo
El orfebre de Augsburgo Jörg Zürer, 1531
Tabla, 78 × 51 cm
Formaba parte de la colección de Isabel de
Farnesio en 1746; No. de Catálogo 2183

1
Adam Elsheimer
Francfort, 1578 – Roma, 1610
Ceres y Estelio
Cobre, 30 × 25 cm
Originalmente de la colección del Alcázar
de Madrid, antes de 1734; No. de
Catálogo 2181

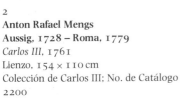

2
Anton Rafael Mengs
Aussig, 1728 – Roma, 1779
Carlos III, 1761
Lienzo, 154 × 110 cm
Colección de Carlos III; No. de Catálogo
2200

3
Anton Rafael Mengs
Aussig, 1728 – Roma, 1779
*El archiduque Fernando y la archiduquesa
Ana de Austria*, 1770
Lienzo, 147 × 96 cm
Colección de Carlos III; No. de Catálogo
2192

Anton Rafael Mengs
Aussig, 1728 – Roma, 1779
La adoración de los pastores, 1770
Tabla, 258 × 191 cm
Colección de Carlos III; No. de Catálogo
2204

Mengs es una de las figuras claves que
marcan la transición del estilo rococó al
neoclasicismo. Aunque emergiera de un
ambiente rococó, Mengs favorecía unas
composiciones más severas que evocan el
arte clásico y del alto Renacimiento. En
España se hizo tan popular que desplazó a
Tiépolo, último de los grandes pintores
barrocos. No obstante, las calidades más
impresionantes de la obra de Mengs, sus
colores esmaltados y texturas quebradizas,
son esencialmente del rococó. Esta obra la
pintó en Roma para la colección real
española y fue entregada en 1771.

La Pintura Británica

La colección británica, que también incluye obras irlandesas, viene a ser la más reciente del Prado. Al examinar su historia, ha de recordarse que Inglaterra y Escocia fueron dos reinos independientes hasta 1707, cuando el Acta de Unión marcó la absorción formal de Escocia dentro de la nueva identidad de Gran Bretaña. Las recurrentes diferencias políticas entre España e Inglaterra, que duraron desde el siglo XVI hasta principios del XIX, y la consiguiente carencia de enlaces matrimoniales de Estado – hasta la boda de Alfonso XIII y Victoria Eugenia de Battenberg en 1906 – junto con el reducido contacto entre las grandes familias de ambos países, produjeron un trasfondo histórico esencialmente desfavorable para la diseminación del arte británico es España. Otra razón tal vez sea la poca difusión que ha tenido la pintura británica fuera de sus fronteras hasta el siglo XX. Como consecuencia de estas circunstancias históricas, los inventarios reales no registran pinturas inglesas o escocesas, excepto algunas obras anónimas. Aun después de la fundación del Prado, en 1819, entraron muy pocas piezas en la colección real, salvo algún retrato victoriano, pero siempre destinados a los palacios reales, nunca al Museo. En realidad, la mayoría de las obras británicas que posee el Prado ha entrado durante el curso del siglo XX, mediante adquisiciones o donaciones.

Aunque no cabe duda que la escuela británica contase con importantes talentos indígenas, sobre todo en el campo de la miniatura inglesa, gran parte de los lienzos a escala mayor que se encargaron durante los siglos XVI y XVII fueron ejecutados por artistas extranjeros. El Prado guarda muchos ejemplos de este tipo de cuadro, tales como los magníficos retratos de la etapa inglesa de Van Dyck, y varias obras de Anthonis Mor van Dashorst (conocido como Antonio Moro), Van Somer y Rubens, que se hallan en la colección flamenca; pero por desgracia no figuran pinturas de artistas como Peter Lely o Godfrey Kneller, ni tampoco las obras de sus contemporáneos – los cuales serían significativas a fin de establecer las bases sobre las cuales se podría asentar la emergencia del arte británico de los siglos XVIII y XIX.

No obstante, durante el siglo XX el Museo ha obtenido un conjunto de piezas más representativas e informativas, las cuales dan a conocer algo de la obra de los artistas británicos desde el siglo XVIII en adelante. Hay dos retratos masculinos, *Eclesiástico* y *James Bourdieu*, de Reynolds; y otros tantos de su gran contemporáneo, Gainsborough. Sin embargo, faltan los grandes retratos, tanto individuales como de grupo, y también los femeninos, de ambos pintores. A pesar de esto, los retratos femeninos sí que figuran entre las obras de Romney, Pocock, Cotes, Raeburn,

1
George Romney
Dalton-in-Furness, 1734 – Kendal, 1802
Master Ward
Lienzo, 126 × 102 cm
Adquirido en Londres en 1958;
No. de Catálogo 3013

2
Henry Raeburn
Stockbridge, 1756 – Edimburgo, 1823
Mrs Maclean of Kinlochaline
Lienzo, 75 × 63 cm
Adquirido en 1966; No. de
Catálogo 3116

Philipps y Gordon que figuran en el Museo. Mención muy especial merecen dos obras de Lawrence, que suponen el enlace entre los siglos XVIII y XIX. La primera es un retrato elegante si bien algo pretencioso, *John Vane, X conde de Westmorland*, y la segunda un delicioso y exquisito retrato de Miss Martha Carr. A éstas se une la distinguida figura de Anthony Gilbert Storer, obra de Martin Shee – del que existen otras obras en el Museo, las cuales sirven para testimoniar la sobria precisión que alcanzaron los retratistas británicos de principios del siglo XIX.

3
Thomas Lawrence
Bristol, 1769 – Londres, 1830
Retrato de Miss Martha Carr
Adquirido en Londres en 1959; No. de
Catálogo 3012

4
Thomas Lawrence
Bristol, 1769 – Londres, 1830
John Fane, X conde de Westmorland
Lienzo, 247 × 147 cm
Adquirido en Londres en 1958; No. de
Catálogo 3001

5
Martin Archer Shee
Dublín, 1769 – Brighton, 1850
Anthony Gilbert Storer, 1815
Lienzo, 240 × 148 cm
Adquirido en 1957; No. de
Catálogo 3014

2

3

4

5

251

Índice de ilustraciones por nombre de artista